언어발달을 위한 ABA 프로그램

# 토리 LETS 영역별 가이드북

언어발달을 위한 ABA 프로그램 : 토리 LETS 영역별 가이드북

**발 행** | 2024년 4월 12일
**저 자** | 전은지, 송지언
**펴낸이** | 한건희
**펴낸곳** | 주식회사 부크크
**출판사등록** | 2014.07.15.(제2014-16호)
**주 소** | 서울특별시 금천구 가산디지털1로 119 SK트윈타워 A동 305호
**전 화** | 1670-8316
**이메일** | info@bookk.co.kr

ISBN | 979-11-410-8076-1

www.bookk.co.kr

언어발달을 위한 ABA 프로그램

# 토리 LETS 영역별 가이드북

BCBA전은지 · QBA송지연 지음

토리ABA발달교실

# 들어가는 말

안녕하세요. 토리ABA발달교실 대표원장 전은지, 1호점 원장 송지언입니다. 수 년 동안 언어지연, 발달지연, 자폐스펙트럼장애를 가진 아이들을 중재하고 부모님들과 상담하면서 보다 특별한 아이들의 언어발달을 위한 최적의 프로그램들을 연구해 한 곳에 담았습니다.

LETS(Language Education and Training Programs for Special Children)는 아홉 가지 영역의 언어발달 프로그램으로 구성되어 있습니다. 무발화인 아이들도, 초기 발화가 시작된 아이들도, 핑퐁대화가 잘 되지 않는 아이들도, 듣기가 원활하지 않은 아이들도 적용 가능하도록 만들었습니다. 아홉 가지 영역 안에서 아이의 언어발달 수준을 구체적으로 파악하고, 개별적인 수준에 맞는 언어발달 프로그램을 계획하고 실행할 수 있습니다. LETS는 ABA 기반의 교육 방법을 사용하여 아이들의 인지, 언어, 의사소통 기술을 향상시키고 스스로의 행동을 조절하여 학습 능력을 증진하는 것을 목표로 하고 있습니다.

<언어발달을 위한 ABA프로그램 : 토리 LETS 영역별 가이드북>은 전문 재활사나 행동분석전문가뿐만 아니라 부모님과 선생님들도 활용할 수 있도록 쉽게 구성되어 있습니다. 부록 <한 눈에 보는 LETS 프로그램>을 참고하시어 프로그램의 전반적인 내용을 확인하실 수 있습니다.

맞춤형 프로그램을 계획하고 매일의 수행을 기록하고 피드백하기 위한 데이터 프로그램 TAD(TORY ABA DATA PROGRAM)도 서비스 중입니다. 데이터 관리 프로그램이 필요하시다면 토리ABA발달교실 홈페이지나 블로그를 방문해주세요. 보다 쉽게 아이들의 수준을 체크하고 다음 발달 목표를 잡으시는데 유용하게 사용하실 수 있습니다.

애정을 듬뿍 담아 만든 토리 LETS를 필요한 분들에게 선보일 수 있어 참 다행이고 이렇게 글로써 독자를 만날 수 있음에 감사드립니다. 언제 어디서든 토리ABA발달교실은 느린 아이들과 가족의 삶에 도움이 되는 방법을 찾아 한 발 한 발 나아가겠습니다.

2024년 3월

전은지·송지언

# CONTENT

Language Education & Training
for Special Children

# 토리 LETS 영역별 가이드북

## [1] 학습준비

BCBA 전은지
QBA 송지언

• 언어발달을 위한 ABA 프로그램 •
2024 개정판

# 1. ABA의 기본원리

## 1) ABA의 기본원리

ABA(Applied Behavior Analysis)는 발달지연, 발달장애, 자폐스펙트럼장애 아동의 언어, 인지, 사회성 등을 향상시키기 위한 과학적으로 증명된 근거기반의 접근법입니다. ABA는 아동의 행동을 관찰, 분석하여 특정한 행동이 나타나는 원인과 그 행동을 개선시키는 방법을 찾습니다. ABA에서는 목표 행동을 구체적이고 측정 가능한 형태로 설정합니다. 예를 들면, 언어 발달에서의 목표 행동은 '아이가 사물을 보고 3초 이내에 명명한다.'와 같은 형태로 작성하며, 사회성 발달에서의 목표 행동은 '또래를 보고 눈맞춤하며 인사한다.'와 같은 형태로 명확하게 목표를 설정합니다.

ABA는 목표 행동을 증가시키기 위해서 긍정적 강화를 사용합니다. 긍정적 강화란 아동이 바람직한 행동을 보일 때 아동에게 긍정적인 보상을 제공하여 다음에도 아동이 비슷한 상황에서 바람직한 행동을 더 많이 할 수 있도록 하는 것입니다. 아동에게 보상은 칭찬, 놀이, 간식 등이 될 수 있습니다.

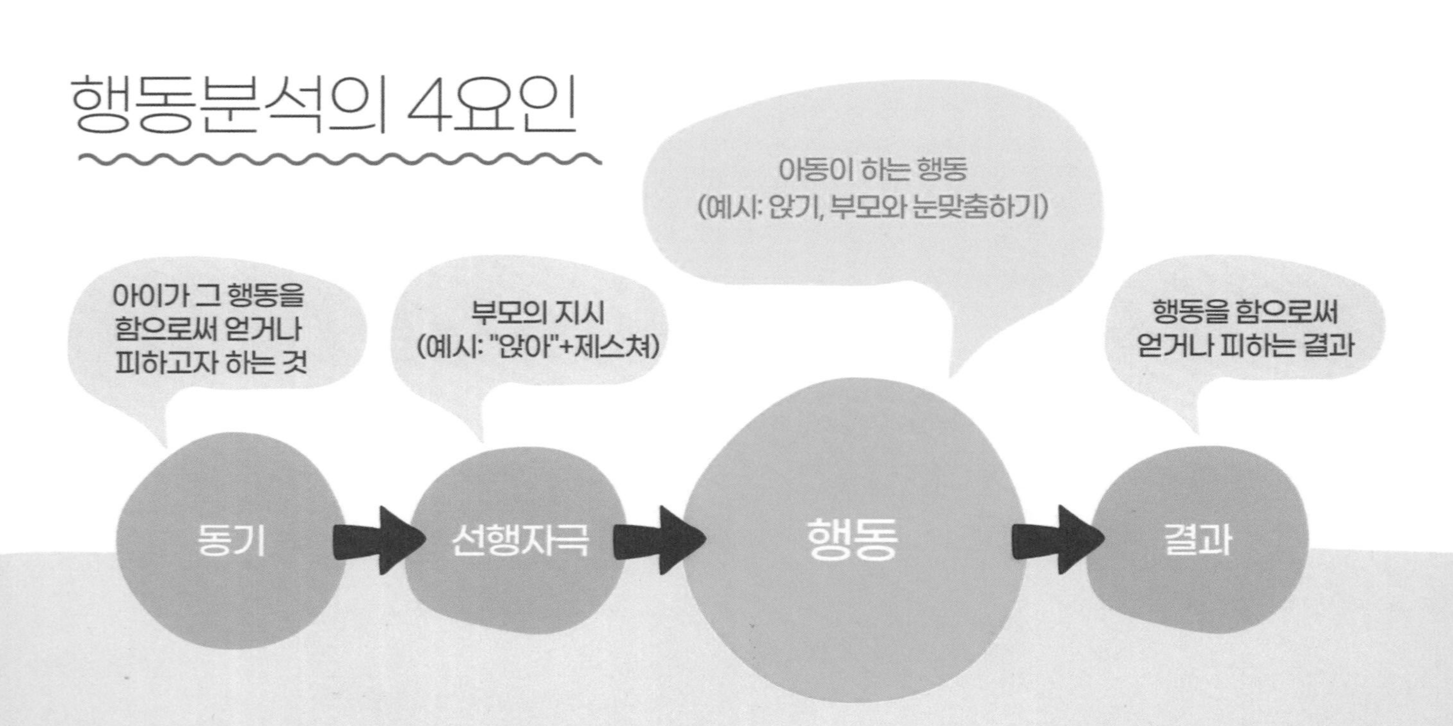

ABA는 아동이 목표 행동을 달성하도록 하기 위해서 구조화된 학습 환경을 제공합니다. 목표 행동을 구체적으로 나누어 제시하고 어떤 공간에서, 얼마만큼의 시간 동안, 어떠한 프로그램으로 상호작용을 하며 목표 행동을 달성하도록 도울지 미리 계획하여 진행합니다. 교사나 부모가 프로그램을 전반적으로 주도하며 아동이 목표를 달성하는데 집중할 수 있도록 돕습니다. 이렇게 구조화된 학습 환경 내에서 아동이 목표 행동을 달성하면 ABA는 다양한 상황에서도 습득한 목표 행동을 할 수 있도록 지도하는데, 이를 일반화라고 부릅니다. 일반화를 통해 일상생활에서 다양한 사람들과 함께 배운 행동들을 적용해보면서 아동은 일상생활 속에서도 사회적으로 바람직한 행동을 보일 수 있게 됩니다.

ABA는 아동의 목표 행동의 수행을 매일 기록하고 기록된 데이터를 기반으로 의사결정을 내립니다. ABA 전문가는 아동의 진전을 주기적으로 기록하고 평가하기 때문에 아동이 목표 행동을 얼마나 달성하고 있으며 목표 행동이 증가하고 있는지 확인할 수 있습니다. 만약 아동의 목표 행동이 증가하지 않고 있다면 즉시 목표 행동이나 지도 방법을 수정할 수 있습니다. 이렇게 아동의 수행을 매일 기록하며 지도 방법을 수정해나가기 때문에 개별적인 아동에게 맞추어진 프로그램을 실시할 수 있습니다.

## 2) 긍정적 강화와 촉진 함께 사용하기

긍정적 강화와 촉진은 ABA에서 중요한 요소로 아동의 학습을 돕는데 큰 역할을 합니다. 긍정적 강화는 아이가 바람직한 행동을 보였을 때 그 행동을 장려하기 위해 준비된 보상을 제공하는 것입니다. 긍정적 강화는 아이가 좋아하는 것들로 이루어져야 합니다. 예를 들면 칭찬, 스킨쉽, 놀이 활동, 다양한 간식이나 주스, 장난감 등이 될 수 있습니다. 이를 통해 아이는 좋은 행동이 긍정적인 결과로 이어진다는 것을 배웁니다.

촉진은 아이가 목표 행동을 할 수 있도록 도와주는 방법입니다. 촉진을 통해 아동은 잘 하지 못했던 행동을 성공할 수 있게 되고 성공을 통해 보상을 얻는 경험을 쌓을 수 있습니다. 만약 촉진이 없다면 아이는 새로운 목표 행동을 함으로써 주어지는 보상을 경험할 수 없을 것입니다. 아동이 새로운 행동을 배우도록 하기 위해서 촉진은 반드시 필요합니다. 예를 들면, 아동이 또래에게 인사를 하도록 가르치기 위해 또래가 있을 때 부모님이 "친구한테 인사해야지."라고 먼저 말해주는 것이 촉진이라고 할 수 있습니다. 또 아동에게 모방을 가르치기 위해 "따라해 봐."하고 만세하기를 보여주었을 때 아이가 만세를 할 수 있도록 목표 행동을 설정하였다면 뒤에서 성인이 아이가 만세를 할 수 있도록 신체적으로 잡아줄 수 있습니다. 이때 뒤에서 아이를 잡아주는 행동이 촉진이라고 할 수 있습니다.

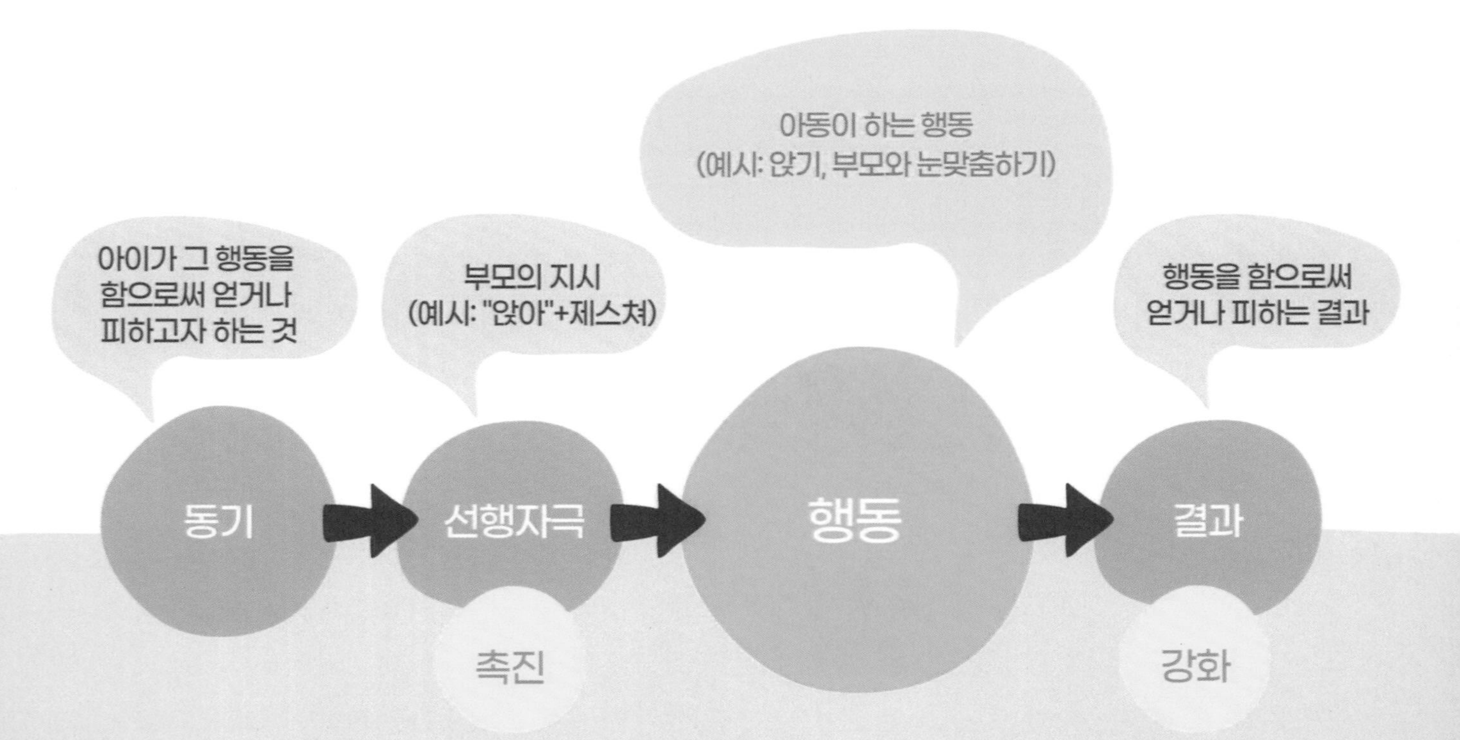

긍정적 강화와 촉진을 같이 사용함으로써 경험을 통해 아동이 새로운 행동을 배우도록 할 수 있습니다. 예를 들면, 아이가 사과를 보고 "사과"라고 명명하는 것을 목표 행동이라고 해보겠습니다. 아이가 스스로 "사과"라고 말하기가 어려우니 부모님이 사과를 보여주며 "사과"라고 말해주고 아이는 따라서 "사과"라고 말하도록 촉진합니다. 아이가 부모님을 따라서 "사과"라고 말하는 목표 행동을 달성했을 때 아이가 좋아하는 긍정적인 강화를 즉시 제시합니다. 이때 강화제는 아이가 좋아하는 것으로 선택하면 됩니다. 강화제는 칭찬, 놀이 활동, 간식, 장난감이 될 수 있습니다. 이렇게 촉진을 주고 아이가 목표 행동을 하면 강화로 보상을 받는 경험을 계속해서 반복함으로써 아이는 점차 촉진과 강화의 관계를 이해하게 됩니다. 이를 통해 아동은 적절한 행동을 습득하게 되고 자신이 기대한 결과를 얻게 됩니다. 이렇게 긍정적 강화와 촉진을 함께 사용하면, 아이는 원하는 행동을 더욱 효과적으로 학습하게 됩니다. 이를 통해 발달지연, 발달장애, 자폐스펙트럼장애 아동의 언어 발달을 비롯한 다양한 능력을 향상시킬 수 있습니다.

다양한 강화제

### 3) 보상할 강화제를 찾는 방법

강화제는 ABA에서 아이의 긍정적인 행동을 장려하기 위해 사용되는 보상으로, 아동에게 적합한 강화제를 찾는 것이 중요합니다. 부모님들이 가정에서 아이들의 강화제를 찾는 방법은 다음과 같습니다.

먼저 아이의 관심사를 파악해봅니다. 아이가 좋아하는 놀이, 장난감, 음식 등에 대해 관찰하고 그것들을 강화제로 사용할 수 있습니다. 아이의 관심사를 기반으로 한 강화제는 아이의 동기를 높여줍니다. 모든 아이들이 동일한 강화제에 반응하는 것은 아니기 때문에 아이의 선호도와 개성을 고려하여 개별화된 강화제를 선택해야 합니다.

강화제의 효과는 시간이 지남에 따라 줄어들 수 있으므로, 다양한 강화제를 준비하고 교체해야 합니다. 이렇게 함으로써 아이의 흥미를 유지하고 동기를 높일 수 있습니다. 그리고 꾸준히 새로운 강화제를 탐색해 두어야 합니다.

너무 자주 또는 너무 큰 강화제를 사용하면 아이가 강화제에 익숙해져 효과가 줄어들 수 있습니다. 강화제의 크기와 빈도를 적절하게 조절하여 강화제에 대한 동기가 계속 유지될 수 있도록 해야 합니다. 강화제로 젤리를 사용한다면 평소에는 젤리를 먹을 수 없어야 합니다. 평소에 젤리를 많이 먹을 수 있는 아이라면 특정한 목표 행동을 해야 할 동기가 사라지기 때문입니다. 그리고 젤리를 평소에 먹는 것보다 더 작게 잘라서 강화제로 사용해야 합니다. 젤리에 대한 포만이 생기면 더 이상 젤리를 먹고 싶어하지 않을 것이고 그러면 목표 행동을 연습할 수 있는 기회를 잃게 되기 때문입니다.

사회적 강화제도 강화제가 될 수 있습니다. 사회적 강화제는 칭찬, 미소, 포옹, 스킨쉽과 같은 보상으로, 아이의 사회적 행동에 대한 동기를 형성하는데 도움이 됩니다. 이러한 강화제는 물질적인 강화제와 함께 사용할 수 있습니다. 강화제로 젤리를 사용한다면 젤리를 주면서 아이에게 충분히 칭찬하고 스킨쉽을 해줌으로써 젤리와 사회적 강화제를 함께 사용할 수 있습니다.

## 2. 언어발달을 위한 ABA 프로그램

ABA는 발달지연, 발달장애, 자폐스펙트럼장애 아동, 청소년, 성인의 여러 영역에서의 행동들을 다루는 매우 넓은 분야입니다. ABA에는 성인 자폐성 장애인의 직업 관련 행동을 관리하기도 하고, 발달장애 청소년의 문제행동 관리에도 적용됩니다. 그러나 이 책에서 소개하는 ABA 프로그램은 발달지연, 발달장애, 자폐스펙트럼장애 영유아의 언어발달에 초점을 두었습니다. 언어발달을 위한 ABA 프로그램에서 다루는 영역들은 다음과 같습니다.

이렇게 영유아의 언어발달을 위해 9가지의 영역을 나누어 놓은 이유는 보다 체계적이고 구조화된 방식으로 ABA를 진행하기 위함입니다. 9가지의 영역들은 서로 다른 능력을 평가하면서도 서로 연결되어 있습니다. 각각의 영역에서 목표 행동을 설정함으로써 전반적인 언어 능력을 효과적으로 향상시킬 수 있습니다. 각 영역은 아동의 특정한 능력을 대표하므로, 전문가들은 아동의 강점과 약점을 파악하고 개별화된 지원을 제공할 수 있습니다. 이는 아동의 학습 효과를 극대화하는데 도움이 됩니다. 영역별로 학습 목표를 설정하고, 아동의 성취도를 측정함으로써 아동의 현재 발달 상황을 쉽게 추적하고 평가할 수 있습니다.

# 3. 학습준비란?

언어발달을 위한 ABA 프로그램은 학습준비 영역에서부터 시작합니다. 여기서 말하는 학습준비는 선생님이나 부모와 언어발달을 위한 중재를 시작하기에 앞서 필요한 기본 영역입니다. 아동은 학습준비 영역의 과제를 통해 선생님이나 부모를 향해 주의를 집중하고 선생님이나 부모가 제시한 활동에 참여할 수 있는 지시순응 능력을 기를 수 있습니다. 아동은 중재가 시작되면 선생님이나 부모를 쳐다볼 수 있어야 하고, 선생님이나 부모가 제시하는 자료를 쳐다볼 수 있어야 다양한 과제들이 가능합니다. 그리고 선생님이나 부모가 제시하는 활동들을 함께 할 수 있을 정도로 지시에 순응할 수 있어야 중재가 가능합니다. 따라서 언어 자체를 듣고 말할 수 있게 연습하기에 앞서 주의집중과 지시순응과 같은 학습에 대한 준비를 미리 시키는 것입니다.

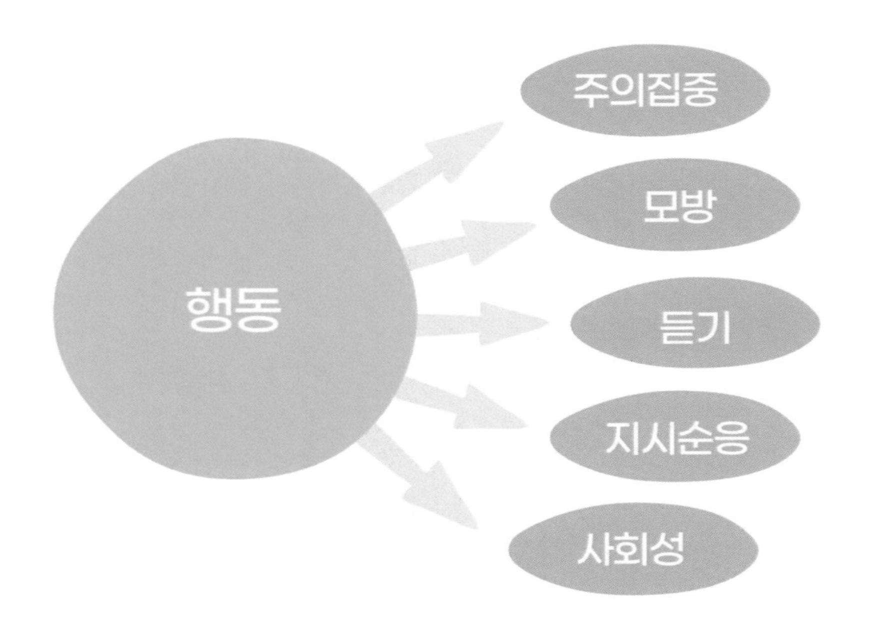


주의집중은 학습의 기본이라고 할 수 있습니다. 아이가 주변 환경에 관심을 가지고 학습에 필요한 중요한 자극에 집중할 수 있도록 하는 것은 학습의 중요한 첫걸음입니다. 주의집중력이 향상되면 언어 중재를 할 때도 선생님이나 부모의 지시사항을 더 잘 이해하고 따르게 됩니다. 이로 인해 중재의 효과도 더 높아질 수 있습니다. 또 선생님이나 부모에게 집중하는 것은 다른 사람의 언어, 행동, 감정에 더 잘 반응할 수 있도록 도와줄 수 있습니다.

다른 사람을 관찰할 기회로부터 새로운 행동을 배울 수 있기 때문입니다.

지시에 순응하는 것은 아동이 사회적 상호작용을 하는데 중요한 기술입니다. 우리는 모두 사회적인 약속을 따르면서 살아갑니다. 밥 먹는 시간에는 앉아서 밥을 먹는 것, 10시까지 어린이집이나 유치원에 가는 것, 선생님을 만나면 인사하는 것 모두 사회적인 약속에 순응하는 것입니다. 지시에 순응하는 것은 사회성의 시작이며 다른 사람들과 잘 지낼 수 있도록 도와줍니다. 또 지시를 이해하고 잘 따를 수 있으면 아동이 위험한 상황에서 안전하게 대처할 수 있습니다. 예를 들어, 길을 건널 때도 부모님이나 선생님의 지시를 이해하고 따를 줄 아는 아이들은 더 안전하게 길을 건너갈 수 있습니다. 일상생활에서도 지시에 순응하는 아동은 더 독립적이고 효율적으로 활동할 수 있습니다. 특히 어린이집이나 유치원, 학교, 가정에서 루틴과 규칙을 따르는 것은 생활 능력 향상에 큰 도움이 됩니다.

학습준비 영역은 언어발달을 본격적으로 시작하기 전에 필요한 주의집중과 지시순응을 향상시키는 매우 중요한 10가지 목표행동으로 구성되어 있습니다. 만약 아동이 언어적인 발달을 보이고 있다고 하더라도 학습준비 영역에서 많은 행동들을 잘 수행하지 못한다면 학습준비 영역을 다시 다루어주는 것이 전반적인 발달에 도움이 될 수 있습니다. 학습준비 영역에서 수행을 잘 하는 아동은 새로운 목표 행동을 습득하는데 걸리는 시간이 더 적게 들고 효율적으로 학습할 수 있을 것입니다.

# 4. 학습준비를 위한 장기목표

| 1 | 성인의 지시 "앉아" + 제스처(의자 가리키기)에 순응하기 | |
|---|---|---|
| 설명 | 부모님이 "의자에 앉아" 또는 "앉아요"와 같은 지시를 하면서 동시에 의자를 가리키거나 앉을 자리를 손으로 두드릴 때 3초 이내에 아이가 의자에 앉습니다. |  |
| 촉구 | 아이를 손으로 직접 데려가 앉힙니다. (신체적 촉구) | |
| 자료 | 의자 | |
| 아이템 | | |

| 2 | 성인의 지시 "일어나" + 제스처(손바닥 펴서 올리기)에 순응하기 | |
|---|---|---|
| 설명 | 부모님이 "일어나"와 같은 지시를 하면서 동시에 손바닥을 피며 올릴 때 3초 이내에 아이가 의자에서 일어납니다. |  |
| 촉구 | 아이를 손으로 직접 일어나게 합니다. (신체적 촉구) | |
| 자료 | 의자 | |
| 아이템 | | |

<table>
<tr><th>3</th><th colspan="2">성인의 지시 “저기로 가자” + 제스처(장소 포인팅하기)에 순응하기</th></tr>
<tr><td>설명</td><td>부모님이 “저기로 가자”와 같은 지시를 하면서 동시에 가려는 장소를 포인팅할 때 3초 이내에 아이가 가리키는 방향으로 3걸음 이상 걸어갑니다.</td><td></td></tr>
<tr><td>촉구</td><td colspan="2">아이의 손을 잡고 가리키는 방향으로 함께 걸어갑니다. (신체적 촉구)</td></tr>
<tr><td>자료</td><td colspan="2">의자</td></tr>
<tr><td>아이템</td><td colspan="2"></td></tr>
</table>

<table>
<tr><th>4</th><th colspan="2">성인의 지시 “이리와” 또는 “와서 앉아” + 제스처(오라고 손 흔들기)에 순응하기</th></tr>
<tr><td>설명</td><td>부모님이 “이리와” 또는 “와서 앉아”와 같은 지시를 하면서 동시에 손을 흔들며 오라고 할 때 3초 이내에 부모님에게 걸어오거나 자리에 앉습니다.</td><td></td></tr>
<tr><td>촉구</td><td colspan="2">아이의 손을 잡고 부모님에게 오게 하거나 자리에 앉힙니다.</td></tr>
<tr><td>자료</td><td colspan="2">의자</td></tr>
<tr><td>아이템</td><td colspan="2"></td></tr>
</table>

| 5 | 10분 간 착석 유지하기 |
|---|---|
| 설명 | 일어나려고 할 때 살짝 아동을 앉혀주거나, ‘앉아서 끝까지 해보자’하고 말해줍니다. 아이가 지겨워서 일어나려고 한다면 다른 재미있는 활동으로 좀 더 앉아서 해볼 수 있도록 도와주면 됩니다. |
| 촉구 | 책상, 의자, 아이가 좋아하는 활동 자료들 |
| 자료 | 의자 |
| 아이템 | 목표를 1분부터 3분, 5분, 7분, 10분으로 늘려나갈 수 있습니다. |

| 6 | 성인의 지시 "여기 봐" 또는 "엄마 봐" + 제스처(성인의 얼굴 포인팅하기)에 눈맞춤하기 |
|---|---|
| 설명 | 부모님이 "여기 봐" 또는 "엄마/아빠 봐"와 같은 지시를 하면서 동시에 자신의 얼굴을 포인팅할 때 아이는 3초 이내에 부모님의 얼굴이나 눈을 봅니다. |
| 촉구 | 아이가 좋아하는 강화제를 성인의 얼굴이나 눈 쪽에 갖다 대며 시선을 유도합니다. |
| 자료 | |
| 아이템 | |

| 7 | 성인의 지시 "여기 봐" + 제스처(앞에 놓인 사물 포인팅하기)에 순응하기 | |
|---|---|---|
| 설명 | 부모님이 "여기 봐"와 같은 지시를 하면서 동시에 앞에 놓인 사물을 포인팅할 때 아이는 3초 이내에 앞에 놓인 사물들 중 가리키는 것을 봅니다. | 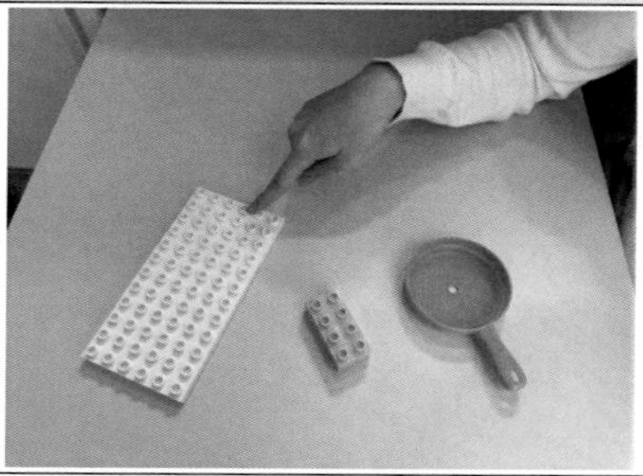 |
| 촉구 | 아이가 좋아하는 강화제를 앞에 놓인 사물 쪽에 갖다 대며 시선을 유도합니다. | |
| 자료 | 몇 가지 사물들(책, 블록, 색연필, 가위 등) | |
| 아이템 | | |

| 8 | 성인의 지시 "이거 줘" + 제스처(손바닥 내밀기)에 순응하여 앞에 있는 사물 건네주기 | |
|---|---|---|
| 설명 | 책상 위에 사물을 하나 놓고 부모님이 "이거 줘"와 같은 지시를 하면서 손바닥을 내밀면 아이는 3초 이내에 앞에 놓인 사물을 손바닥 위에 올려놓습니다. | 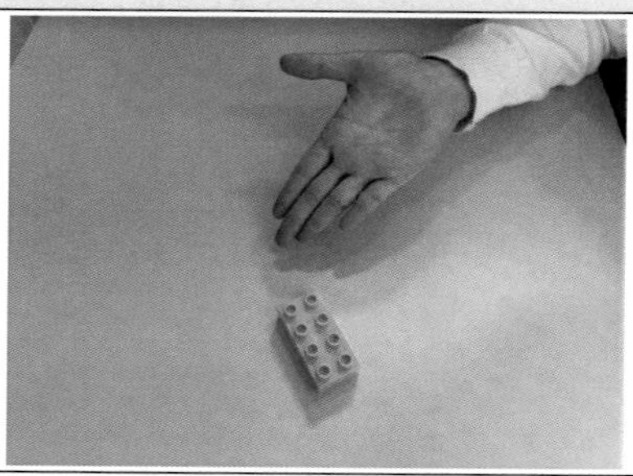 |
| 촉구 | 아이의 손을 잡고 사물을 부모님의 손바닥 위에 함께 올려놓습니다. | |
| 자료 | 몇 가지 사물들(책, 블록, 색연필, 가위 등) | |
| 아이템 | | |

| 9 | 성인의 지시 "여기 놔" + 제스처(바구니나 접시 포인팅하기)에 순응하여 앞에 있는 사물을 바구니나 접시에 올려놓기 |
| --- | --- |
| 설명 | 부모님이 책상 위에 사물과 접시(또는 바구니)를 나란히 놓고 접시를 가리키며 "여기 놔"와 같은 지시를 하면 아이는 3초 이내에 앞에 놓인 사물을 집어 접시 위에 올려놓습니다. 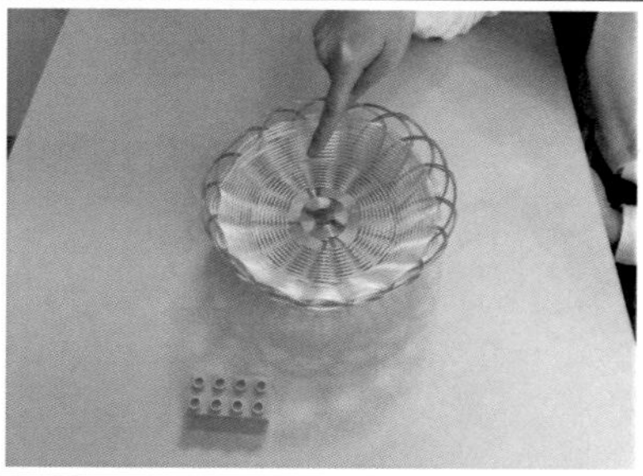 |
| 촉구 | 아이의 손을 잡고 앞에 놓인 사물을 집어 접시(바구니) 위에 함께 올려놓습니다. |
| 자료 | 몇 가지 사물들(책, 블록, 색연필, 가위 등)과 접시나 바구니 |
| 아이템 | |

| 10 | 성인의 지시 "여기 놔" + 제스처(책상 위 아무 곳이나 포인팅하기)에 순응하여 앞에 있는 사물을 가리킨 곳에 놓기 |
| --- | --- |
| 설명 | 부모님이 책상 위에 사물을 놓고 책상 위 아무 곳이나 가리키며 "여기 놔"와 같은 지시를 하면 아이는 3초 이내에 사물을 집어 부모님이 가리킨 곳에 놓습니다. 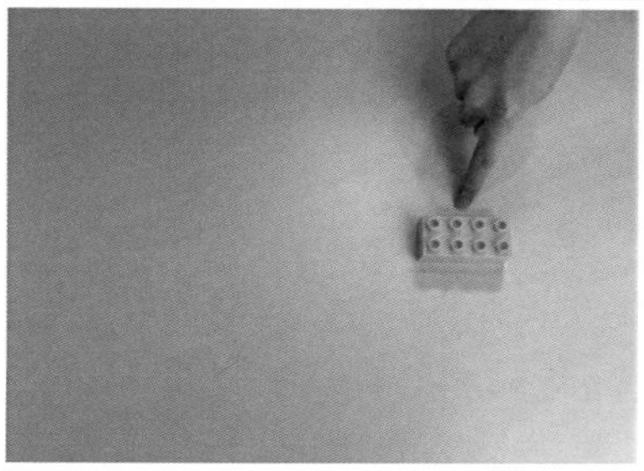 |
| 촉구 | 아이의 손을 잡고 앞에 놓인 사물을 집어 책상 위 가리킨 곳에 함께 놓습니다. |
| 자료 | 몇 가지 사물들(책, 블록, 색연필, 가위 등), 책상 |
| 아이템 | |

# 5. 데이터 수집 방법

ABA에서 데이터 수집을 중요하게 여기는 이유는 데이터를 수집함으로써 아동의 학습 진행 상황을 정확하게 파악할 수 있기 때문입니다. 데이터를 통해 아동의 행동에서 변화가 일어나고 있는지를 알 수 있고, 그렇지 않다면 데이터를 바탕으로 더 효과적인 교수 방법을 찾을 수 있습니다. 또 장기적으로 데이터를 지속적으로 모니터링함으로써 아동에게 맞는 발달 목표를 설정하고 그 목표에 도달했는지를 평가할 수 있습니다. 결국 데이터 수집은 ABA 중재의 효과를 높이고 아동의 개별적인 필요에 맞는 지원을 제공하는데 도움이 됩니다. 데이터를 수집하기 위해서는 잘 정리된 ABA 프로그램 데이터시트가 필요합니다. 다음은 데이터를 기록할 데이터시트의 예시입니다.

# <데이터시트>

| 영역 | |
|---|---|
| 목표 | |
| 세부목표 | |
| 강화계획 | |
| 촉구(P) | |
| 강화제 | |

날짜:

| 시도 | | | | | |
|---|---|---|---|---|---|
| | | | | | |
| + | | P | | - | |

날짜:

| 시도 | | | | | |
|---|---|---|---|---|---|
| | | | | | |
| + | | P | | - | |

날짜:

| 시도 | | | | | |
|---|---|---|---|---|---|
| | | | | | |
| + | | P | | - | |

날짜:

| 시도 | | | | | |
|---|---|---|---|---|---|
| | | | | | |
| + | | P | | - | |

날짜:

| 시도 | | | | | |
|---|---|---|---|---|---|
| | | | | | |
| + | | P | | - | |

위의 데이터시트 예시와 같이 영역, 장기목표, 단기목표, 촉진방법, 강화계획, 강화제를 미리 계획하여 작성해둡니다. 장기목표가 아동에게 너무 어려우면 더 작은 단계로 나누어 단기 목표를 설정할 수 있습니다. 예를 들어 10분 동안 착석이 아동에게 너무 길게 느껴지는 경우, 3분 착석을 목표로 연습할 수 있습니다. 이때 장기목표는 10분 동안 착석이지만 단기목표는 3분 동안 착석이 될 수 있습니다. 특별히 단기목표로 더 나눌 필요가 없는 경우 장기목표를 설정하고 연습하면 됩니다.

아동이 독립적으로 목표행동을 수행했을 때 +라고 기록합니다. 아동이 촉진을 받아 목표행동을 수행했을 때 P(Prompt)라고 기록합니다. 아동이 목표행동을 독립적으로 하지 못했을 때 -라고 기록합니다.

촉진방법은 신체적 촉구, 언어적 촉구, 위치 촉구 등 다양한 것이 될 수 있습니다. 어떤 방법이든 아동이 좀 더 적은 촉구만으로 목표 행동을 달성할 수 있도록 도와주는 방법이면 됩니다. 주의할 것은 촉진은 점차 사라지고 독립적으로 반응하는 것이 목표라는 것을 상기하면서 촉구를 점차 줄여나가야 한다는 것입니다.

강화계획은 언제 강화제를 제공할 것이냐를 정하는 것입니다. 목표 행동을 달성할 때마다 강화제를 제공하기 시작해서 점차 강화제를 제공하는 간격을 느슨하게 할 필요가 있습니다. 결국 강화제가 없어도 아동이 목표 행동을 달성할 수 있도록 하는 것이 중요합니다. 목표 행동을 달성할 때마다 강화제를 제공하기로 했다면 1, 목표 행동을 3번 성공했을 때

마다 제공하기로 했다면 3으로 적어두시면 됩니다. 미리 정해둔 강화 계획에 따라 꾸준히 연습하는 것이 중요합니다.

5일 정도 매일 꾸준히 같은 프로그램을 하루에 10번 이상 진행한 후 수집한 데이터를 점검합니다. 만약 5일 동안 매일 꾸준히 같은 프로그램을 했음에도 불구하고 아동의 독립적인 수행(+)의 개수나 비율이 증가하지 않았다면 이 프로그램은 아동에게 적합하지 않은 것입니다. 더 작은 목표로 나누거나 강화제나 교구에 변화를 주어야 합니다. 만약 독립적인 수행(+)의 개수나 비율이 증가했다면 아동의 행동이 강화에 의해 변화하고 있다는 것입니다. 이때 아동이 독립적인 수행(+)을 연속 2일 80% 이상으로 달성하는 것을 목표로 연습을 지속하면 됩니다. 아동이 목표를 달성하면 다른 목표를 설정하고 연습할 수 있습니다. 다음은 데이터시트를 작성한 예시입니다. 날이 갈수록 아동의 +반응이 증가하고 촉진 반응이 감소하는 것을 확인할 수 있습니다. 이렇게 연습이 반복되면서 아동이 자발적으로 반응하는 비율이 80% 이상이 될 때까지 연습하고 목표를 달성하면 이제 다른 목표에 도전해 봅니다.

## <데이터시트 작성 예시>

| 영역 | 학습준비 |
|---|---|
| 목표 | 성인의 지시 "여기 봐" 또는 "엄마 봐" + 제스처(성인의 얼굴 포인팅하기)에 눈맞춤하기 |
| 세부목표 | "엄마 봐"하면서 눈을 가리킬 때 3초 이내에 눈맞춤하기 |
| 강화계획 | 1 |
| 촉구(P) | 뽀로로 스티커를 눈에 갖다대기 |
| 강화제 | 멜로디책 |

날짜: 3/2

| 시도 | P | P | P | P | P |
|---|---|---|---|---|---|
| | P | P | + | P | P |
| + | 1 | P | 9 | - | |

날짜: 3/3

| 시도 | P | P | P | P | + |
|---|---|---|---|---|---|
| | P | P | P | P | + |
| + | 2 | P | 8 | - | |

날짜: 3/4

| 시도 | P | P | P | + | + |
|---|---|---|---|---|---|
| | P | P | + | + | + |
| + | 5 | P | 5 | - | |

날짜: 3/5

| 시도 | P | P | + | + | + |
|---|---|---|---|---|---|
| | + | P | + | + | + |
| + | 7 | P | 3 | - | |

날짜: 3/6

| 시도 | P | + | + | + | + |
|---|---|---|---|---|---|
| | + | + | + | + | + |
| + | 9 | P | 1 | - | |

## 6. ABA 프로그램에 대한 문의사항

ABA는 부모 혼자만의 힘으로 진행하기에는 어려운 점들이 많습니다. 전문가의 도움이 필요할 때 언제든지 토리ABA발달교실을 찾아주세요. 모든 ABA 프로그램에 대한 문의사항은 네이버카페 토리ABA발달교실에서 BCBA 토리쌤, QBA 어니쌤, 토리쌤과 함께하는 여러 ABA 선생님들과 상의하실 수 있습니다. 네이버카페로 오셔서 가입하시고 문의사항이 있으시면 언제든지 남겨주세요.

| | | |
|---|---|---|
| | 홈페이지 | • https://tory01school.modoo.at/ |
| | 인스타그램 | • https://www.instagram.com/tory_aba<br>• https://www.instagram.com/honest_tr |
| blog | 블로그 | • https://blog.naver.com/eunji01212<br>• https://blog.naver.com/honest_teacher_song |
| | 유튜브 | • https://www.youtube.com/channel/UCu5Fhle6tE7oDqWLMWLd5eQ |
| | 네이버카페 | • https://cafe.naver.com/tory01school |

Language Education & Training
for Special Children

# 토리 LETS 영역별 가이드북

## [2] 매칭

BCBA 전은지
QBA 송지언

• 언어발달을 위한 ABA 프로그램 •
2024 개정판

# 1. 매칭이란?

아이가 3~5분 정도 착석이 가능하고 선생님이나 부모님이 제시하는 사물이나 카드를 보고 건네 받아 책상 위에 있는 접시 위에 놓을 수 있을 때 ABA 프로그램의 여러 영역 중에서 매칭 영역에 해당하는 프로그램들을 시작해볼 수 있습니다. 매칭 영역은 아이의 시지각 기술을 활용하는 과제들로 이루어져 있습니다. 아직 수용언어나 표현언어가 없어도 할 수 있는 과제들입니다. 청각적인 자극들, 여러가지 소리들을 의미 있게 구분하거나 기능적으로 반응하지 못하는 아이들에게는 먼저 시각적인 정보를 의미 있게 처리하는 방법에 대해 가르칩니다.

가장 기초적으로 시각적인 자극을 처리하는 방식을 가르칩니다. 예를 들면, 책상 위에 3가지 접시를 놓고 접시 위에는 초록색 블록, 빨간색 색연필, 파란색 버스를 올려둡니다. 그리고 아이에게 초록색 블록과 똑같은 블록을 건네주면서 "같은 것끼리 놔보자."라고 얘기합니다. 아이는 꼭 "같은 것끼리 놔보자."라는 언어를 이해하지 못해도 초록색 블록이 담긴 접시에 초록색 블록을 넣는 것을 연습하게 됩니다. 아이는 자연스럽게 "초록색 블록"이라는 같은 시각적인 자극의 동일성을 인식하고 반응하도록 배웁니다. 같은 시각적 자극을 인식한다는 것은 동시에 초록색 블록이 빨간색 색연필이나 파란색 버스와는 다른 시각적 자극이라는 것을 인식하게 되는 것입니다. 이렇게 아이는 시각적 자극에 대해서 같은 것과 다른 것을 구분하는 것을 배우게 됩니다.

아이가 자극에 대한 동일성을 인식하고 이에 적절하게 반응하는 방법을 배우는 것은 언어 발달에 있어서 매우 중요합니다. 어떤 자극들이 서로 같은 것인지 알아야 그 자극을 명명하는 소리 자극을 배울 수 있습니다. 그리고 그 소리 자극이 또 다른 자극과 똑같다는 것을 계속해서 연결해나갈 수 있어야 아이에게 '개념'이 형성됩니다. 예를 들면 집에 있는 뽀로로 컵과 어린이집에 있는 스테인리스 컵이 같은 것이라는 동일성 인식이 있을 때 집에서 엄마가 뽀로로 컵을 "컵"이라고 알려주면 아이는 어린이집에서도 선생님이 "컵"이라고 했을 때 그것이 스테인리스 컵과 같은 것을 의미한다는 것을 알 수 있지요.

시지각적인 자극들, 예를 들어 초록색 블록, 빨간색 색연필, 파란 버스, 컵, 바지 등 일상생활에서 아이가 자주 접하는 사물들에 대해 무엇이 같은 것이고 무엇이 다른 것인지를 인지하고 개념을 잡아가는 것에서부터 언어발달, 인지발달이 시작될 수 있습니다. 결국 언어는 개념이나 기능에 이름을 붙이는 것이니까요.

비단 사물의 이름뿐만 아니라 아이들이 '할아버지'라고 부르는 사람에 대해서, '아저씨'라고 부르는 사람에 대해서도 각각 동일성 인식을 가지고 있어야 합니다. '길다'는 것, '크다'는 것에 대해서도 동일성 인식을 가져야 개념화를 시킬 수 있고 이것을 언어적으로 길다, 크다고 부를 수 있는 것이죠. 만약 이렇게 시각적 자극에 대해 동일성을 인지하지 못한다면 각각의 개념에 이름을 붙이고 이름을 명명하는 것은 아이들에게 너무나도 어려울 것입니다. 그래서 언어발달을 위한 ABA 프로그램에서는 시각적 자극의 동일성을 인식하고 반응하는 연습을 가장 먼저 시작합니다.

처음에는 똑같은 사물끼리의 매칭으로 시작하지만 이후에는 서로 다르게 생겼지만 같은 아이템끼리 일반화된 매칭을 하고, 사물만으로 하는 것이 아니라 사진끼리도 매칭을 합니다. 같은 색깔끼리, 같은 모양끼리 매칭을 하기도 합니다. 그리고 더 나아가면 디자인을 보고 그대로 블록을 가지고 따라서 만드는 매칭을 연습하기도 합니다.

아이들마다 매칭하는 능력이 천차만별이므로 매칭 영역에서 각각의 프로그램을 조금씩 시도해보면서 우리 아이가 어려워하는 부분은 어디인지 찾는 것이 중요합니다. 아이가 잘 수행하지 못하는 부분을 찾아 강화의 원리를 사용하여 집중적으로 연습하는 것이 ABA 프로그램의 핵심입니다.

대부분의 부모님들이 언어발달에 있어서 빨리 듣고, 말하기를 원하기 때문에 이 매칭 영역의 시지각 기술을 놓치는 경우가 많습니다. 그러나 앞서 설명한 것처럼 발달이 느린 아이들에게 매칭 영역에서의 기술은 언어 발달에 있어 필수적이라고 할 수 있습니다. 당연히

할 줄 알겠거니 하고 지나치지 마시고 아이와 꼭 함께 해보시기를 바랍니다. 만약 아이가 잘하는 프로그램이라면 괜히 했다 생각하실 필요 없습니다. 그만큼 아이를 더 칭찬할 수 있는 기회가 생기는 것이기 때문입니다. 그럼 이제 매칭 영역에서의 ABA 프로그램들을 하나하나 살펴보겠습니다.

# 2. 매칭을 위한 장기목표(30가지)

<table>
<tr><th>1</th><th colspan="2">3초 동안 움직이는 시각적 자극 추적하기</th></tr>
<tr><td>설명</td><td>부모님이 비누방울을 불어주면 아이가 움직이는 비누방울을 3초 이상 쳐다봅니다. 또는 부모님이 자동차를 부릉부릉 움직여가면 움직이는 자동차를 쳐다봅니다.</td><td>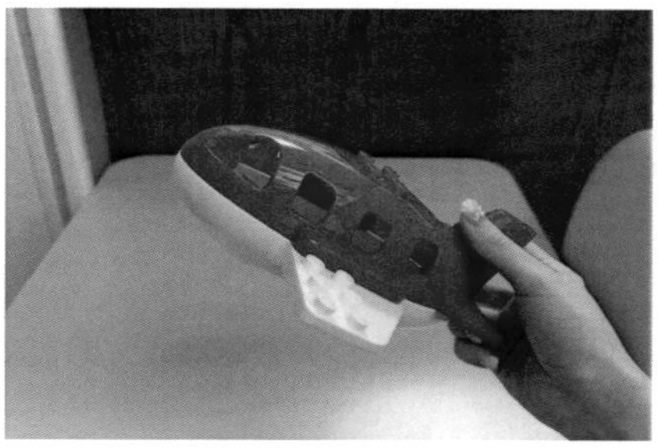</td></tr>
<tr><td>촉구</td><td colspan="2">아이가 좋아하는 간식이나 좋아하는 장난감, 스티커를 움직이는 사물에 갖다대어 아이가 움직이는 사물을 쳐다보도록 도와줍니다.</td></tr>
<tr><td>자료</td><td colspan="2">비누방울, 움직일 수 있는 자동차, 비행기 등</td></tr>
<tr><td>아이템</td><td colspan="2"></td></tr>
</table>

<table>
<tr><th>2</th><th colspan="2">10초 동안 장난감 조작하기</th></tr>
<tr><td>설명</td><td>버튼을 누르거나 잡아 당기거나 사물을 집어넣는 간단한 조작이 가능한 장난감을 제시하면 10초 이상 조작합니다.</td><td></td></tr>
<tr><td>촉구</td><td colspan="2">아이의 손을 잡고 간단한 조작을 같이 해줍니다. (넣기, 잡아당기기, 돌리기 등)</td></tr>
<tr><td>자료</td><td colspan="2">조작이 간단한 장난감</td></tr>
<tr><td>아이템</td><td colspan="2"></td></tr>
</table>

| 3 | 집게 손가락으로 작은 사물 잡기 |
|---|---|
| 설명 | 작은 구슬이나 주사위, 클레이 조각을 집게 손가락으로 잡고 옮길 수 있는지 확인해봅니다. 평소에 관찰하셔도 좋습니다. |
| 촉구 | 방법1) 아이의 손으로 집게 손가락을 만들어 직접 잡아 옮겨보도록 도와줍니다.<br>방법2) 집게 손가락으로 잡고 옮기는 것을 보여주고 따라하도록 합니다. |
| 자료 | 접시와 구슬, 접시와 작은 클레이 조각 등 |
| 아이템 | |

| 4 | 30초 동안 장난감을 조작하거나 책 보기 |
|---|---|
| 설명 | 30초 이상 간단한 조작을 할 수 있는 장난감을 가지고 놀거나 책을 볼 수 있는지 평소에 관찰합니다. |
| 촉구 | 장난감을 조작하고 있을 때마다 강화제를 제공하여 장난감을 조작하는 행동에 대해 강화할 수 있습니다. 책을 보고 있을 때 강화제를 제공하여 책을 보는 행동을 증가시킬 수 있습니다. |
| 자료 | 간단한 조작이 가능한 장난감, 연령이나 흥미에 적합한 책 |
| 아이템 | |

| 5 | 3개 이상의 사물을 상자에 담기 |
|---|---|
| 설명 | 부모님이 3개 이상의 사물을 아이에게 주고 상자를 가리키며 "여기에 넣어"와 같이 지시하면 아이는 3초 이내에 사물을 상자 안에 넣습니다.  |
| 촉구 | 아이의 손을 잡고 사물을 집어 상자 안에 함께 넣습니다. |
| 자료 | 몇 가지 사물들(책, 블록, 색연필, 가위 등), 상자 |
| 아이템 | 몇 가지 사물들(책, 블록, 색연필, 가위 등) |

| 6 | 3개 이상의 나무 블록 쌓기 |
|---|---|
| 설명 | 부모님이 3개 이상의 블록을 아이에게 주고 "블록 쌓아" 또는 "블록 올려"와 같이 지시하면 아이는 3초 이내에 블록을 쌓아 올립니다.  |
| 촉구 | 방법1) 아이의 손을 잡고 블록을 집어 함께 쌓아 올립니다.<br>방법2) 부모님이 직접 시범을 보여줍니다. |
| 자료 | 블록 3개 |
| 아이템 | 블록 3개 |

| 7 | 3개 이상의 링을 막대에 끼우기 |
|---|---|
| 설명 | 부모님이 3개 이상의 링을 아이에게 주고 막대를 가리키며 “링 끼워” 또는 “여기에 끼워”와 같이 지시하면 아이는 3초 이내에 막대에 링을 끼웁니다. |
| 촉구 | 방법1) 아이의 손을 잡고 링을 집어 함께 막대에 끼웁니다.<br>방법2) 부모님이 직접 시범을 보여줍니다. |
| 자료 | 막대, 링 3개 |
| 아이템 | 막대, 링 3개 |

| 8 | 꼭지퍼즐 1개 맞추기 |
|---|---|
| 설명 | 부모님이 꼭지퍼즐 하나를 가리키며 “같은 곳에 꽂아”와 같이 지시하면 아이는 3초 이내에 꼭지퍼즐을 집어 퍼즐판에 맞춰 넣습니다. |
| 촉구 | 방법1) 아이의 손을 잡고 꼭지퍼즐을 집어 퍼즐판에 함께 맞춥니다.<br>방법2) 부모님이 퍼즐판의 알맞은 위치를 포인팅하여 알려줍니다. |
| 자료 | 꼭지퍼즐 |
| 아이템 | 꼭지퍼즐 |

| 9 | 2조각의 종이퍼즐 1쌍 맞추기 |
| --- | --- |
| 설명 | 부모님이 2조각의 종이퍼즐을 주며 “맞춰봐”와 같이 지시하면 아이는 3초 이내에 2조각의 퍼즐 1쌍을 맞춥니다. |
| 촉구 | 방법1) 아이의 손을 잡고 퍼즐을 집어 함께 맞춥니다.<br>방법2) 부모님이 직접 시범을 보여줍니다. |
| 자료 | 2조각 종이퍼즐 1쌍 |
| 아이템 | 2조각 종이퍼즐 |

| 10 | 나열된 사물 3개 중 똑같은 사물을 찾아 함께 놓기 |
| --- | --- |
| 설명 | 부모님이 책상에 접시 3개를 올려놓고 사물 3개를 각 접시 위에 놓습니다. 제시된 3개의 사물 중 똑같이 생긴 사물 하나를 아이에게 주며 “같은 것끼리 놔”라고 지시합니다. 지시를 듣고 아이는 3초 이내에 사물을 같은 곳에 올려놓습니다. 20개 종류의 사물로 연습합니다. |
| 촉구 | 방법1) 아이의 손을 잡고 사물을 접시에 함께 올려놓습니다.<br>방법2) 부모님이 똑같은 사물이 놓인 접시를 포인팅하여 알려줍니다.<br>방법3) 부모님이 직접 접시 위에 올려놓으며 시범을 보여줍니다. |
| 자료 | 접시 3개, 사물 3쌍 |
| 아이템 | 바나나, 딸기, 귤, 강아지, 오리, 토끼, 자동차, 기차, 비행기, 버스, 숟가락, 양말, 칫솔, 컵, 블록, 공, 시계, 가위, 색연필, 인형 |

| 11 | 나열된 사물 5개 중 똑같은 사물을 찾아 함께 놓기 |
|---|---|
| 설명 | 부모님이 책상에 접시 5개를 올려놓고 사물 5개를 각 접시 위에 놓습니다. 제시된 5개의 사물 중 똑같이 생긴 사물 하나를 아이에게 주며 "같은 것끼리 놔"라고 지시합니다. 지시를 듣고 아이는 3초 이내에 사물을 같은 곳에 올려놓습니다. 20개 종류의 사물로 연습합니다.  |
| 촉구 | 방법1) 아이의 손을 잡고 사물을 접시에 함께 올려놓습니다.<br>방법2) 부모님이 똑같은 사물이 놓인 접시를 포인팅하여 알려줍니다.<br>방법3) 부모님이 직접 접시 위에 올려놓으며 시범을 보여줍니다. |
| 자료 | 접시 5개, 사물 5쌍 |
| 아이템 | 바나나, 딸기, 귤, 강아지, 오리, 토끼, 자동차, 기차, 비행기, 버스, 숟가락, 양말, 칫솔, 컵, 블록, 공, 시계, 가위, 색연필, 인형 |

| 12 | 나열된 사진 5개 중 똑같은 사진을 찾아 함께 놓기 |
|---|---|
| 설명 | 부모님이 책상에 사진 5개를 올려놓습니다. 제시된 5개의 사진 중 똑같이 생긴 사진 하나를 아이에게 주며 "같은 것끼리 놔"라고 지시합니다. 지시를 듣고 아이는 3초 이내에 사진을 같은 곳에 올려놓습니다. 20개 종류의 사진으로 연습합니다. 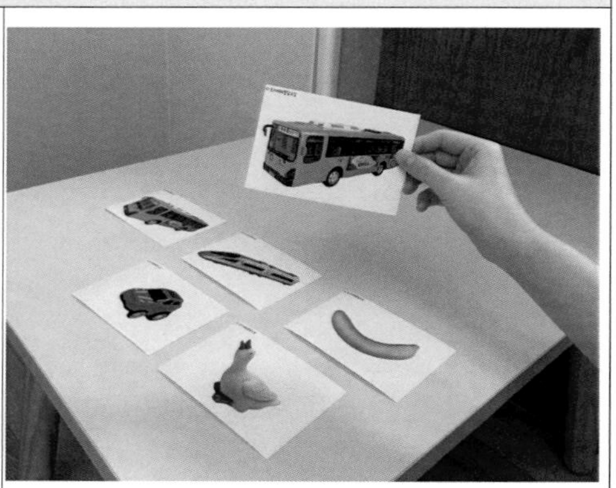 |
| 촉구 | 방법1) 아이의 손을 잡고 사진을 똑같은 사진 위에 함께 올려놓습니다.<br>방법2) 부모님이 똑같은 사진을 포인팅하여 알려줍니다.<br>방법3) 부모님이 직접 똑같은 사진 위에 올려놓으며 시범을 보여줍니다. |
| 자료 | 사진 6쌍 |
| 아이템 | 바나나, 딸기, 귤, 강아지, 오리, 토끼, 자동차, 기차, 비행기, 버스, 숟가락, 양말, 칫솔, 컵, 블록, 공, 시계, 가위, 색연필, 인형 |

| 13 | 나열된 사물 5개 중 똑같은 색깔/모양의 사물을 찾아 함께 놓기 |
|---|---|
| 설명 | 부모님이 책상에 접시 5개를 올려 놓고 색깔블록 또는 모양블록을 각 접시 위에 올려놓습니다. 제시된 5개의 블록 중 똑같은 색깔 또는 모양의 블록을 아이에게 주며 "같은 것끼리 놔"라고 지시합니다. 지시를 듣고 아이는 3초 이내에 블록을 같은 곳에 올려놓습니다.   |
| 촉구 | 방법1) 아이의 손을 잡고 사물을 접시에 함께 올려놓습니다.<br>방법2) 부모님이 똑같은 사물이 놓인 접시를 포인팅하여 알려줍니다.<br>방법3) 부모님이 직접 접시 위에 올려놓으며 시범을 보여줍니다. |
| 자료 | 색깔블록 5쌍, 모양블록 5쌍 |
| 아이템 | 블록 5쌍(빨강, 주황, 노랑, 초록, 파란색) / 블록 5쌍(동그라미, 세모, 네모, 별) |

| 14 | 나열된 사물 7개 중 똑같은 사물을 찾아 함께 놓기 |
|---|---|
| 설명 | 부모님이 책상에 접시 7개를 올려 놓고 사물 7개를 각 접시 위에 놓습니다. 제시된 7개의 사물 중 똑같이 생긴 사물 하나를 아이에게 주며 “같은 것끼리 놔”라고 지시합니다. 지시를 듣고 아이는 3초 이내에 사물을 같은 곳에 올려놓습니다. 20개 종류의 사물로 연습합니다. |
| 촉구 | 방법1) 아이의 손을 잡고 사물을 접시에 함께 올려놓습니다.<br>방법2) 부모님이 똑같은 사물이 놓인 접시를 포인팅하여 알려줍니다.<br>방법3) 부모님이 직접 접시 위에 올려놓으며 시범을 보여줍니다. |
| 자료 | 접시 7개, 사물 7쌍 |
| 아이템 | 바나나, 딸기, 귤, 강아지, 오리, 토끼, 자동차, 기차, 비행기, 버스, 숟가락, 양말, 칫솔, 컵, 블록, 공, 시계, 가위, 색연필, 인형 |

| 15 | 나열된 사진 7개 중 똑같은 사진을 찾아 함께 놓기 |
|---|---|
| 설명 | 부모님이 책상에 사진 7개를 올려 놓습니다. 제시된 7개의 사진 중 똑같이 생긴 사진 하나를 아이에게 주며 “같은 것끼리 놔”라고 지시합니다. 지시를 듣고 아이는 3초 이내에 사진을 같은 곳에 올려놓습니다. 20개 종류의 사진으로 연습합니다. |
| 촉구 | 방법1) 아이의 손을 잡고 사물을 접시에 함께 올려놓습니다.<br>방법2) 부모님이 똑같은 사물이 놓인 접시를 포인팅하여 알려줍니다.<br>방법3) 부모님이 직접 접시 위에 올려놓으며 시범을 보여줍니다. |
| 자료 | 사진 7쌍 |
| 아이템 | 바나나, 딸기, 귤, 강아지, 오리, 토끼, 자동차, 기차, 비행기, 버스, 숟가락, 양말, 칫솔, 컵, 블록, 공, 시계, 가위, 색연필, 인형 |

| 16 | 나열된 사물 10개 중 한 곳에 같은 종류의 다르게 생긴 사물을 함께 놓기 |
| --- | --- |
| 설명 | 부모님이 책상에 접시 10개를 올려놓고 사물 10개를 각 접시 위에 놓습니다. 제시된 10개의 사물 중 같은 종류지만 다르게 생긴 사물 하나를 아이에게 주며 "같은 것끼리 놔"라고 지시합니다(ex: 시츄 모형에 말티즈 모형 놓기). 지시를 듣고 아이는 3초 이내에 사물을 같은 종류의 사물이 있는 접시에 올려놓습니다. 20개 종류의 사물로 연습합니다.  |
| 촉구 | 방법1) 아이의 손을 잡고 같은 종류의 사물이 놓인 접시에 함께 올려놓습니다.<br>방법2) 부모님이 같은 종류의 사물이 있는 접시를 포인팅하여 알려줍니다.<br>방법3) 부모님이 직접 같은 종류의 사물이 있는 접시에 올려놓으며 시범을 보여줍니다. |
| 자료 | 같은 종류이면서 다르게 생긴 사물 10쌍 |
| 아이템 | 바나나, 딸기, 귤, 강아지, 오리, 토끼, 자동차, 기차, 비행기, 버스, 숟가락, 양말, 칫솔, 컵, 블록, 공, 시계, 가위, 색연필, 인형 |

| 17 | 나열된 사진 10개 중 한 곳에 같은 종류의 다르게 생긴 사진을 함께 놓기 |
|---|---|
| 설명 | 부모님이 책상에 사진 10개를 올려놓습니다. 제시된 10개의 사진 중 같은 종류지만 다르게 생긴 사진 하나를 아이에게 주며 “같은 것끼리 놔”라고 지시합니다(ex: 시츄 사진에 말티즈 사진 놓기). 지시를 듣고 아이는 3초 이내에 사진을 같은 종류의 사진 위에 올려놓습니다. 20개 종류의 사진으로 연습합니다. 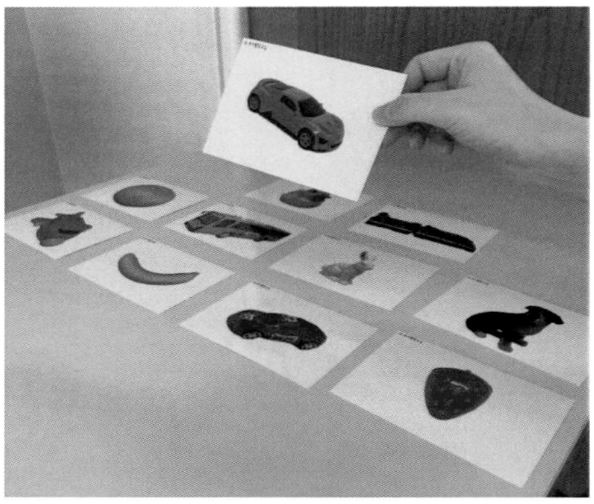 |
| 촉구 | 방법1) 아이의 손을 잡고 사진을 같은 종류의 사진 위에 함께 올려놓습니다.<br>방법2) 부모님이 같은 종류의 사진을 포인팅하여 알려줍니다.<br>방법3) 부모님이 직접 같은 종류의 사진 위에 올려놓으며 시범을 보여줍니다. |
| 자료 | 같은 종류이나 다르게 생긴 사진 10쌍 |
| 아이템 | 바나나, 딸기, 귤, 강아지, 오리, 토끼, 자동차, 기차, 비행기, 버스, 숟가락, 양말, 칫솔, 컵, 블록, 공, 시계, 가위, 색연필, 인형 |

| 18 | 나열된 사진 10개 중 한 곳에 같은 종류의 다르게 생긴 사물을 함께 놓기 |
| --- | --- |
| 설명 | 부모님이 책상에 사진 10개를 올려놓습니다. 제시된 10개의 사진 중 같은 종류지만 다르게 생긴 사물 하나를 아이에게 주며 "같은 것끼리 놔"라고 지시합니다(ex: 시츄 사진에 말티즈 모형 놓기). 지시를 듣고 아이는 3초 이내에 모형을 같은 종류의 사진 위에 올려놓습니다. 20개 종류의 사진과 사물로 연습합니다. 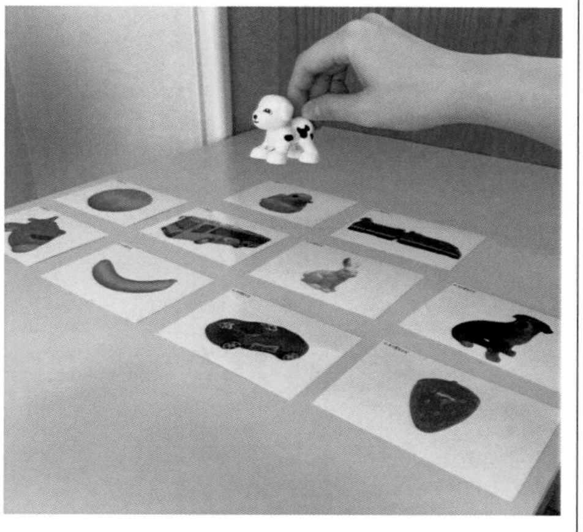 |
| 촉구 | 방법1) 아이의 손을 잡고 사물을 같은 종류의 사진 위에 함께 올려놓습니다.<br>방법2) 부모님이 같은 종류의 사진을 포인팅하여 알려줍니다.<br>방법3) 부모님이 직접 사물을 같은 종류의 사진 위에 올려놓으며 시범을 보여줍니다. |
| 자료 | 같은 종류이나 다르게 생긴 사진 10쌍, 사물 10쌍 |
| 아이템 | 바나나, 딸기, 귤, 강아지, 오리, 토끼, 자동차, 기차, 비행기, 버스, 숟가락, 양말, 칫솔, 컵, 블록, 공, 시계, 가위, 색연필, 인형 |

| 19 | 나열된 사물 5개 중 똑같은 색깔(또는 모양)의 사물을 찾아 함께 놓기 |
| --- | --- |
| 설명 | 부모님이 책상에 접시 5개를 올려놓고 빨강, 주황, 노랑, 초록, 파란색의 사물(또는 동그라미, 세모, 네모, 별, 하트 모양의 사물)을 각 접시 위에 올려놓습니다. 제시된 5개의 사물 중 똑같은 색깔(모양)의 다른 사물을 아이에게 주며 "같은 것끼리 놔"라고 지시합니다. 지시를 듣고 아이는 3초 이내에 사물을 같은 색깔(모양) 사물이 담긴 접시에 올려놓습니다. 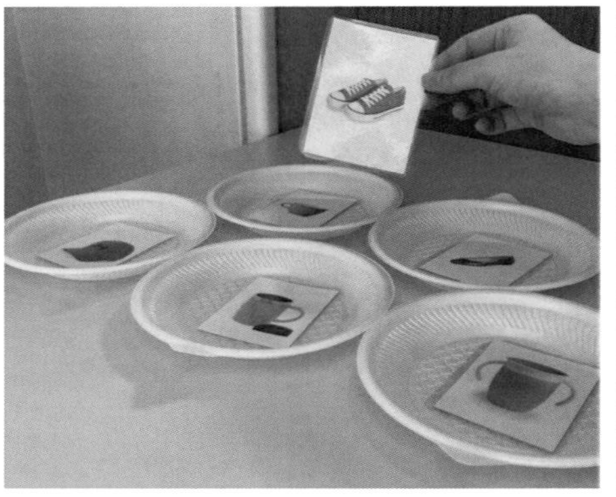 |
| 촉구 | 방법1) 아이의 손을 잡고 사물을 접시에 함께 올려놓습니다.<br>방법2) 부모님이 똑같은 색깔(모양)의 사물이 놓인 접시를 포인팅하여 알려줍니다.<br>방법3) 부모님이 직접 접시 위에 올려놓으며 시범을 보여줍니다. |
| 자료 | 색깔(또는 모양)은 같고 종류는 다른 사물 5쌍 |
| 아이템 | 다른 종류의 블록 5쌍(빨강, 주황, 노랑, 초록, 파란색), 다른 종류의 모형 5쌍(동그라미, 세모, 네모, 별, 하트모양) |

| 20 | 나열된 10개의 사진 중 한 곳에 같은 종류의 다른 사진 올려놓기(연습하지 않은 사진으로 시도하기) |
|---|---|
| 설명 | 부모님이 책상에 사진 10개를 올려놓습니다. 제시된 10개의 사진 중 같은 종류지만 다르게 생긴 사진 하나를 아이에게 주며 "같은 것끼리 놔"라고 지시합니다(ex: 네모난 사탕 사진에 동그란 사탕 사진 놓기). 지시를 듣고 아이는 3초 이내에 사진을 같은 종류의 사진 위에 올려놓습니다. 기존에 연습하지 않은 사진을 제시해야 하고 첫 시도에 90% 이상 성공해야 합니다. |
| 촉구 | 방법1) 아이의 손을 잡고 사진을 같은 종류의 사진 위에 함께 올려놓습니다.<br>방법2) 부모님이 같은 종류의 사진을 포인팅하여 알려줍니다.<br>방법3) 부모님이 직접 같은 종류의 사진 위에 올려놓으며 시범을 보여줍니다. |
| 자료 | 같은 종류이나 다르게 생긴 사진 10쌍 |
| 아이템 | 거울, 사탕, 휴지, 수건, 치약, 빗, 책, 컴퓨터, 티셔츠, 모자 등 |

| 21 | 제시하는 사물과 같은 사물을 책에서 찾아 가리키기 |
|---|---|
| 설명 | 부모님이 아이에게 사물이나 사진을 보여주며 "이거 어딨지?"라고 묻습니다. 질문을 듣고 아이는 3초 이내에 앞에 있는 책에서 같은 사물을 찾아 가리킵니다. |
| 촉구 | 방법1) 아이의 손을 잡고 같은 사물을 함께 포인팅합니다.<br>방법2) 부모님이 같은 사물을 포인팅하여 알려줍니다. |
| 자료 | 책, 사물(사진) |
| 아이템 | 귤, 토마토, 바지, 양말 등 |

| 22 | 나열된 5개의 범주판 중 하나의 범주판을 골라 알맞은 아이템 붙이기 |
|---|---|
| 설명 | 부모님이 책상에 5개의 범주판을 올려놓습니다. 각 범주에 해당하는 아이템을 하나씩 아이에게 주면서 "같은 것끼리 놔"라고 지시하면 아이는 3초 이내에 아이템을 알맞은 범주에 붙입니다. |
| 촉구 | 방법1) 아이의 손을 잡고 아이템 사진을 집어 범주판에 함께 붙입니다.<br>방법2) 부모님이 범주판을 포인팅하여 알려줍니다.<br>방법3) 부모님이 직접 아이템을 범주판에 올려놓으며 시범을 보여줍니다. |
| 자료 | 범주판(과일바구니, 동물원, 차도, 옷장, 장난감상자), 범주별 사진 |
| 아이템 | 과일(사과, 수박, 딸기, 귤), 동물(호랑이, 오리, 곰, 돼지), 옷장(바지, 티셔츠, 치마, 양말), 장난감(핑크퐁멜로디북, 장난감버스, 뽀로로미끄럼틀, 블록) |

| 23 | 연관된 사물끼리 매칭하기 |
|---|---|
| 설명 | 부모님이 책상에 5가지 사진을 나열합니다. 나열된 사진 중 하나와 연관된 사물사진을 아이에게 주면서 "같이 쓰는 것끼리 놔"라고 지시합니다. 아이는 3초 이내에 연관된 사물에 놓습니다. 총 10가지 종류의 사진으로 연습합니다. |
| 촉구 | 방법1) 아이의 손을 잡고 사진을 연관된 사진 위에 함께 올려놓습니다.<br>방법2) 부모님이 연관된 사진을 포인팅하여 알려줍니다.<br>방법3) 부모님이 직접 연관된 사진 위에 올려놓으며 시범을 보여줍니다. |
| 자료 | 연관된 사물 사진 5쌍 |
| 아이템 | 칫솔-치약, 색연필-스케치북, 숟가락-포크, 가위-색종이, 바지-티셔츠 등 |

| 24 | 사물을 크기 순으로 배치하기 |
|---|---|
| 설명 | 부모님이 책상에 접시 3개를 나열합니다. "점점 크게 놔"라고 말하며 모양은 같고 크기는 다른 사물 3개를 건네줍니다. 아이는 3초 이내에 사물을 크기 순으로 놓습니다. 총 5가지 종류의 사물로 연습합니다. 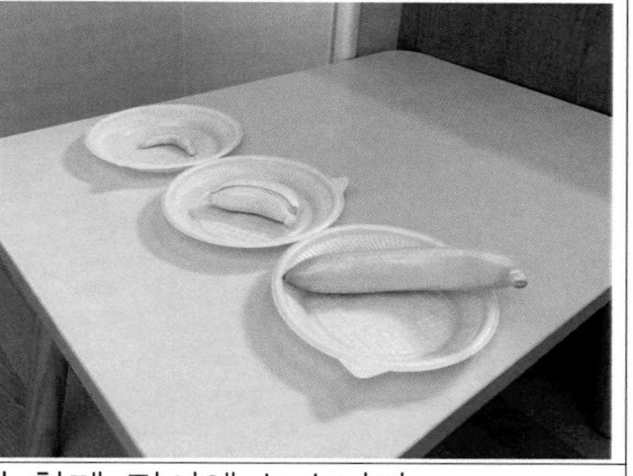 |
| 촉구 | 방법1) 아이의 손을 잡고 작은 것부터 함께 접시에 놓습니다.<br>방법2) 부모님이 크기 순으로 포인팅하여 알려줍니다.<br>방법3) 부모님이 직접 크기 순으로 사물을 놓으며 시범을 보여줍니다. |
| 자료 | 접시, 모양은 같고 크기는 다른 사물 3개, 5종류 |
| 아이템 | 바나나, 오리, 귤, 네모블록, 원통블록 등 |

| 25 | 같은 형용사끼리 매칭하기 |
|---|---|
| 설명 | 부모님이 책상에 접시 2개를 나열하고 같은 형용사끼리 접시에 놓습니다. 예를 들어 큰 사물끼리, 작은 사물끼리 한 접시에 담아 놓습니다. 크기가 다른 사물 한 쌍 중 하나를 아이에게 주며 '큰 것' 혹은 '작은 것'이라고 말합니다. 아이는 3초 이내에 해당하는 형용사 접시에 놓습니다.  |
| 촉구 | 방법1) 아이의 손을 잡고 함께 같은 형용사 접시에 놓습니다.<br>방법2) 부모님이 포인팅하여 같은 형용사 접시를 알려줍니다.<br>방법3) 부모님이 같은 형용사 접시에 사물을 놓으며 시범을 보여줍니다. |
| 자료 | 접시 2개, 형용사별 사물 3개씩(ex: 큰 사물 3개, 작은 사물 3개) |
| 아이템 | 크다-작다, 길다-짧다, 더럽다-깨끗하다, 많다-적다 |

| 26 | 6조각 이상의 사람 모양 퍼즐 맞추기 |
|---|---|
| 설명 | 부모님이 6조각 이상으로 구성된 사람 모양의 퍼즐을 주며 “맞춰봐”와 같이 지시하면 아이는 즉시 퍼즐을 맞춥니다. 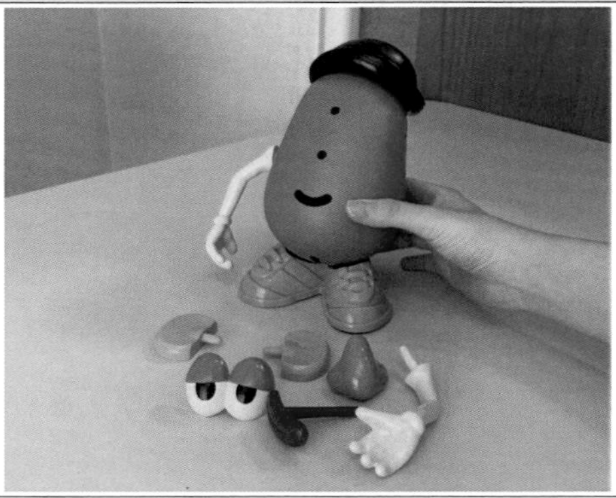 |
| 촉구 | 방법1) 아이의 손을 잡고 퍼즐을 집어 함께 맞춥니다.<br>방법2) 부모님이 포인팅으로 알맞은 퍼즐의 위치를 알려줍니다. |
| 자료 | 6조각 이상의 사람 모양 퍼즐 |
| 아이템 | 6조각 이상의 사람 모양 퍼즐 |

| 27 | 성인이 칠하는 3가지 색깔을 보고 같은 색을 찾아 도안에 색칠하기 |
|---|---|
| 설명 | 부모님이 도안에 세 가지 색으로 색칠합니다. 이후 아이에게 색연필을 제시하며 “똑같은 색으로 칠해봐”라고 지시하면 아이는 3초 이내에 같은 색의 색연필을 찾아 도안에 색칠합니다.  |
| 촉구 | 방법1) 아이의 손을 잡고 함께 색연필을 골라 칠합니다.<br>방법2) 부모님이 같은 색의 색연필을 포인팅하여 알려줍니다. |
| 자료 | 도안, 색연필 |
| 아이템 | 색연필 |

| 28 | 성인을 따라 블록 8개를 한 개씩 쌓기 |
|---|---|
| 설명 | 부모님이 아이에게 "따라해"라고 지시하며 블록 한 개를 책상에 둡니다. 지시를 듣고 아이는 3초 이내에 부모님을 따라서 블록 한 개를 책상에 둡니다. 이후 하나 더 "따라해"라고 지시하며 블록 한 개를 더 쌓고 아이는 3초 이내에 부모님을 따라 하나 더 쌓아 올립니다. 같은 방법으로 총 8개의 블록을 쌓아 올립니다.  |
| 촉구 | 방법1) 아이의 손을 잡고 블록을 함께 쌓아 올립니다.<br>방법2) 부모님이 위치를 포인팅하며 쌓아 올려야 하는 곳을 알려줍니다. |
| 자료 | 블록 8쌍 |
| 아이템 | 블록 8쌍 |

| 29 | 블록 8개를 이용하여 블록 디자인 사진을 보고 똑같이 만들기 |
|---|---|
| 설명 | 부모님이 아이에게 "똑같이 만들어 봐"라고 지시하며 8개의 블록으로 만들어진 디자인의 사진을 보여줍니다. 지시를 듣고 아이는 블록 8개를 쌓아 사진과 똑같이 만듭니다.  |
| 촉구 | 방법1) 아이의 손을 잡고 블록을 함께 쌓아 올립니다.<br>방법2) 부모님이 위치를 포인팅하며 쌓아 올려야 하는 곳을 알려줍니다. |
| 자료 | 블록 디자인 사진, 블록 8개 |
| 아이템 | 블록 8개 |

| 30 | 3가지 종류의 모양이나 색깔 패턴을 보고 그 다음 순서에 와야할 패턴 놓기 |
| --- | --- |
| 설명 | 부모님이 책상에 3가지 종류의 모양이나 색깔을 반복하여 놓습니다. “그 다음에는 뭐가 와야하지?”라고 물어보면 아이는 3초 이내에 여러 가지 모양과 색깔 사진 중 알맞은 패턴의 사진을 골라 같은 패턴으로 이어서 놓습니다. 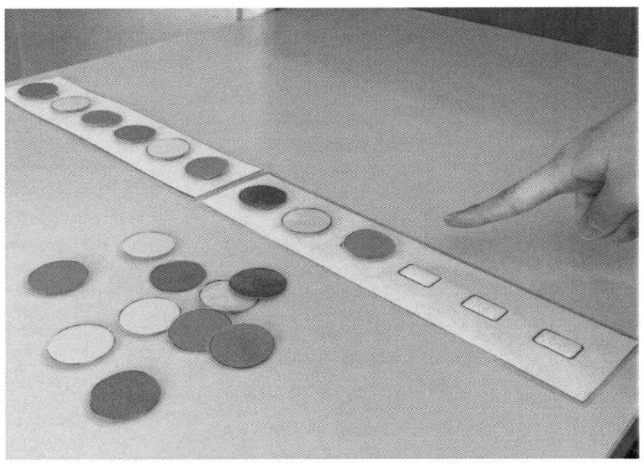 |
| 촉구 | 방법1) 아이의 손을 잡고 아이템을 집어 패턴대로 함께 놓습니다.<br>방법2) 부모님이 알맞은 패턴을 포인팅하여 알려줍니다.<br>방법3) 부모님이 직접 알맞은 패턴을 놓으며 시범을 보여줍니다. |
| 자료 | 세 가지 종류의 모양 또는 색깔 스티커 |
| 아이템 | 동그라미-세모-네모, 세모-네모-별, 네모-별-하트, 별-하트-동그라미, 하트-동그라미-세모, 빨강-노랑-파랑, 노랑-파랑-빨강, 킥보드-자전거-자동차, 자전거-비행기-버스, 비행기-킥보드-버스, 동그라미-세모-세모, 세모-네모-네모, 네모-별-별, 별-하트-하트, 빨강-노랑-노랑, 파랑-빨강-빨강, 킥보드-자전거-자전거, 자전거-비행기-비행기, 비행기-버스-버스, 자전거-자동차-자동차 |

Language Education & Training
for Special Children

# 토리 LETS 영역별 가이드북

## [3] 동작모방

BCBA 전은지
QBA 송지언

• 언어발달을 위한 ABA 프로그램 •

2024 개정판

# 1. 동작모방이란?

언어 발달을 위한 ABA 프로그램에서 사용되는 동작 모방은 다른 사람의 행동을 관찰하고 따라하는 과정을 의미합니다. 예를 들어, 선생님이 "따라해"라고 말하면서 자신의 팔을 들어올린다면, 아이는 선생님의 행동을 관찰하고 이해한 후, 이를 따라 자신의 팔을 들어올리게 됩니다. 이러한 동작 모방을 통해 아이는 명령어를 이해하고 그에 상응하는 행동을 연결하게 되면서 언어와 사회적 기술을 향상시킬 수 있습니다.

동작모방은 아동의 세상에 새롭고 중요한 행동을 발달시키는 근간이 됩니다. 아동은 동작모방 기술을 습득하면서 타인과 소통하고, 규칙을 준수하고, 대인관계를 배울 수 있는 기회를 얻게 됩니다. 누군가가 인사를 하거나 물건을 건네줄 때 어떻게 반응해야 하는지 등 사회적 상황에서 적절한 행동을 이해하고 실천할 수 있게 해주기도 합니다. 또한 아이들의 삶의 다양한 영역에서 도움을 줍니다. 예를 들어 옷입기, 손씻기와 같은 자조기술을 동작모방을 통해 배울 수 있습니다.

동작모방은 언어발달에도 매우 중요한 역할을 합니다. 언어를 배울 때엔 주변에서 보고, 듣는 것을 모방해 습득하는 과정을 거치게 됩니다. 쉬운 대근육 동작 모방에서 시작해 소근육 모방, 구강모방, 음성모방을 점진적으로 배우며 사용할 수 있는 언어가 아주 많아지죠. 그렇게 새로운 단어나 몸짓, 문장 구조를 배우며 표현력이 향상될 수 있습니다.

## 언어발달을 위한 ABA프로그램

동작모방은 문제행동을 다루는 측면에서도 중요합니다. 성인이 상황에 맞는 바람직한 행동을 보여주고 모방하도록 유도함으로써 부적절한 행동은 줄이고 바람직한 행동은 강화하고 증가시킬 수 있는 가장 좋은 방법입니다.

다시 말해 동작 모방은 사회적 기술을 습득하거나 언어 발달을 촉진하고 문제행동을 다룰 때 필수적인 기술입니다. 아동은 다른 사람들의 행동을 관찰하고 따라하면서 주변 환경에서 일어나는 상황에 대한 이해력을 높일 수도 있고, 다른 사람들이 문제를 어떻게 해결하는지 관찰하고 적용함으로써 유사한 문제를 해결할 때 필요한 기술을 익히게 됩니다. 이렇게 아이들은 다른 사람들의 행동을 모방함으로써 삶을 살아가며 필요한 다양한 기술들을 효과적으로 학습할 수 있게 됩니다. 즉, 아이의 삶 전반에서 학습 속도를 향상시키고 발달과 성장을 촉진하는데 도움을 줍니다.

ABA 프로그램에서 동작 모방은 단계적으로 진행되며, 아이들의 능력과 개별적인 필요에 맞게 조정할 수 있습니다. 초기에는 간단한 동작 모방부터 시작하여, 점차 더 복잡한 행동이나 여러 단계로 이루어진 행동을 따라 하도록 가르칩니다. 특히 언어 발달에 어려움을 겪고 있는 아이들, 자폐스펙트럼장애를 가진 아이들, 그리고 다른 발달 장애를 가진 아이들에게 매우 유용합니다.

이렇게 ABA 프로그램 내에서 동작 모방은 아이들의 전반적인 발달에 있어 필수적인 영역입니다. 부모님과 가족들이 아이들의 발달을 돕기 위해 동작 모방 기술을 배우고 적용한다면 아이들은 일상생활에서 자연스럽게 동작모방을 배우고 연습하게 되어 지속적으로 발달을 이룰 수 있습니다. 동작모방 영역은 20가지의 장기목표로 구성되어 있습니다. 지속적으로 학습하면서 아이들은 자신감을 키우고 독립적으로 성장하며 다양한 사회적 상황에서 성공할 수 있는 기반을 마련할 수 있을 것입니다.

# 2. 동작모방을 위한 장기목표 (20가지)

| 1 | 사물 1개를 사용한 동작 1개를 보고 따라하기 |
|---|---|
| 설명 | 부모님이 "따라해"라고 말하며 책상에서 사물 1개를 이용해 동작 하나를 보여준 뒤 아이에게 "해봐"라고 지시합니다. 지시를 듣고 아이는 3초 이내에 부모님의 동작을 똑같이 따라합니다. 10가지 종류의 사물을 이용한 동작모방을 연습합니다.  |
| 촉구 | 아이의 손을 잡고 부모님이 보여준 동작을 함께 해봅니다. |
| 자료 | 10가지 종류의 사물 |
| 아이템 | 자동차 부릉하기, 망치로 책상치기, 북채로 북치기, 스카프 흔들기, 마라카스 흔들기, 바구니에 공 넣기, 아기 토닥토닥해주기, 아기 우유주기, 컵으로 물마시는 척하기, 레고끼우기 |

| 2 | 포인팅하는 동작 따라하기 |
|---|---|
| 설명 | 부모님이 "따라해"라고 지시하며 검지손가락으로 포인팅하는 동작을 보여줍니다. 지시를 듣고 아이는 3초 이내에 똑같이 포인팅합니다. 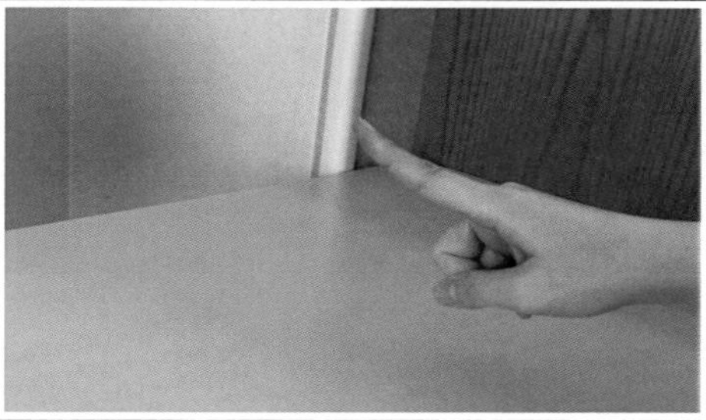 |
| 촉구 | 아이의 손을 잡고 포인팅 손을 만들어주며 동작을 함께 해봅니다. |
| 자료 | |
| 아이템 | |

| 3 | 손무릎 또는 예쁜 손 동작 따라하기 |
| --- | --- |
| 설명 | 부모님이 "따라해"라고 지시하며 손무릎하는 동작 또는 책상에서 예쁜손 하는 동작을 보여줍니다. 지시를 듣고 아이는 3초 이내에 똑같이 손무릎하거나 책상에서 예쁜손을 합니다. 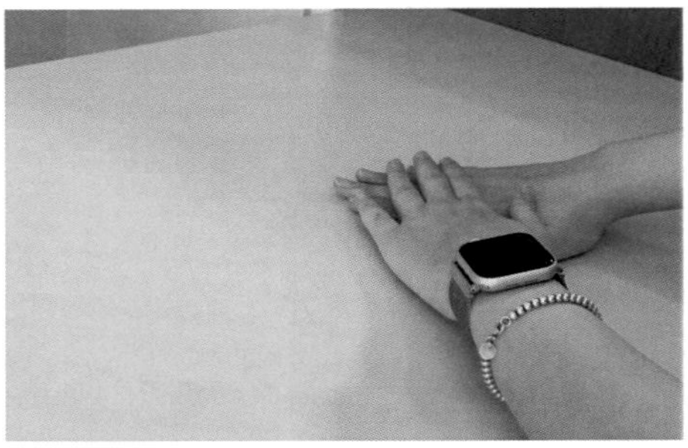 |
| 촉구 | 아이의 손을 잡고 손무릎 또는 예쁜손을 만들어주며 동작을 함께 해봅니다. |
| 자료 | |
| 아이템 | |

| 4 | 나열된 3가지 사물 중 한 가지 사물을 이용한 동작 1개를 보고 따라하기 |
| --- | --- |
| 설명 | 부모님이 책상에 사물 3가지를 올려놓습니다. 나열된 사물 3가지 중 한 가지 사물을 이용한 동작을 보여주고 아이에게 "해봐"라고 지시합니다. 지시를 듣고 아이는 3초 이내에 똑같이 따라합니다. 10가지 종류의 동작을 연습합니다.  |
| 촉구 | 방법1) 아이의 손을 잡고 부모님이 보여준 동작을 함께 해봅니다.<br>방법2) 3가지 사물 중 부모님이 보여준 동작모방 사물을 포인팅하여 알려줍니다. |
| 자료 | 10가지 종류의 사물 |
| 아이템 | 자동차 부릉하기, 망치로 책상치기, 북채로 북치기, 스카프 흔들기, 마라카스 흔들기, 바구니에 공 넣기, 아기 토닥토닥해주기, 아기 우유주기, 컵으로 물마시는 척하기, 레고끼우기 |

| 5 | 대근육 동작을 1개씩 따라하기 | |
| --- | --- | --- |
| 설명 | 부모님이 "따라해"라고 지시하며 대근육 동작을 1가지 보여줍니다. 지시를 듣고 아이는 3초 이내에 동작을 똑같이 따라합니다. 5가지 종류의 대근육 동작을 연습을 합니다. | 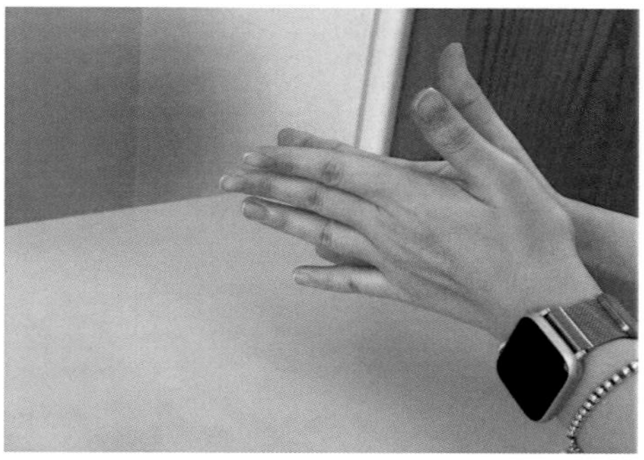 |
| 촉구 | 아이의 손을 잡고 부모님이 보여준 동작을 함께 해봅니다. | |
| 자료 | | |
| 아이템 | 만세, 머리, 박수, 구리구리, 어깨 | |

| 6 | 소근육 동작을 1개씩 따라하기 | |
| --- | --- | --- |
| 설명 | 부모님이 "따라해"라고 지시하며 소근육 동작을 1가지 보여줍니다. 지시를 듣고 아이는 3초 이내에 동작을 똑같이 따라합니다. 3가지 종류의 소근육 동작을 연습을 합니다. | 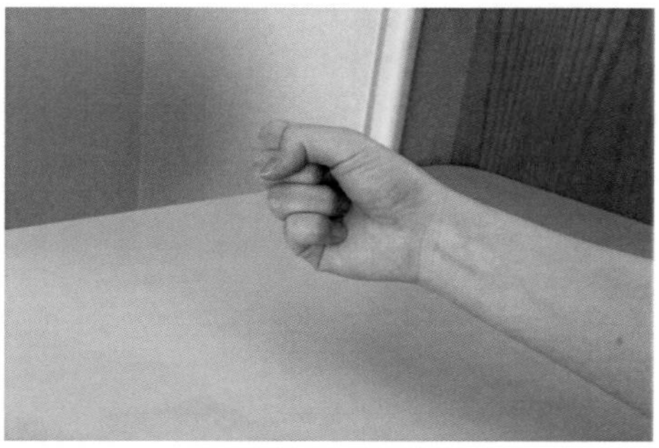 |
| 촉구 | 아이의 손을 잡고 부모님이 보여준 동작을 함께 해봅니다. | |
| 자료 | | |
| 아이템 | 주먹, 보, 최고 | |

| 7 | 대근육 동작을 1개씩 따라하기 |
| --- | --- |
| 설명 | 부모님이 "따라해"라고 지시하며 대근육 동작을 1가지 보여줍니다. 지시를 듣고 아이는 3초 이내에 동작을 똑같이 따라합니다. 10가지 종류의 대근육 동작을 연습을 합니다. 5)에서 이미 5가지의 동작을 연습했으므로 5가지의 동작만 추가로 연습하면 됩니다. 다만 연습한 10가지를 모두 모방할 수 있어야 합니다. |
| 촉구 | 아이의 손을 잡고 부모님이 보여준 동작을 함께 해봅니다. |
| 자료 | |
| 아이템 | 만세, 머리, 박수, 구리구리, 어깨, 준비, 통통통, 예쁜짓, 꽃받침, 안녕 |

| 8 | 대근육 동작을 1개씩 따라하기 |
| --- | --- |
| 설명 | 부모님이 "따라해"라고 지시하며 대근육 동작을 1가지 보여줍니다. 지시를 듣고 아이는 3초 이내에 동작을 똑같이 따라합니다. 20가지 종류의 대근육 동작을 연습을 합니다. 7)에서 이미 10가지의 동작을 연습했으므로 10가지의 동작만 추가로 연습하면 됩니다. 다만 연습한 20가지를 모두 모방할 수 있어야 합니다. |
| 촉구 | 아이의 손을 잡고 부모님이 보여준 동작을 함께 해봅니다. |
| 자료 | |
| 아이템 | 만세, 머리, 박수, 구리구리, 어깨, 준비, 통통통, 예쁜짓, 꽃받침, 안녕, 훨훨, 발굴러, 탁자두드리기, 무릎 손으로 두드리기, 크게 원만들기, 머리쓰다듬기, 손바닥 비비기, 배 두드리기, 사랑해요, 으쓱으쓱 |

| 9 | 거울보며 대근육 동작을 1개씩 따라하기 |
| --- | --- |
| 설명 | 거울 앞에 아이와 나란히 앉아 부모님이 "따라해"라고 지시하며 대근육 동작을 1가지 보여줍니다. 지시를 듣고 아이는 3초 이내에 동작을 똑같이 따라합니다. 20가지 종류의 대근육 동작을 연습을 합니다. 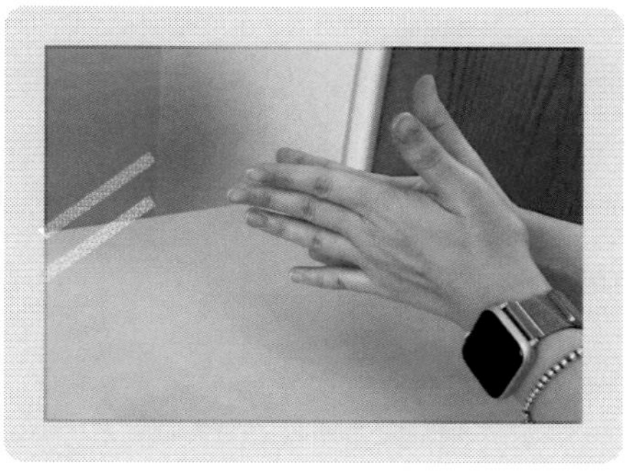 |
| 촉구 | 아이의 손을 잡고 부모님이 보여준 동작을 함께 해봅니다. |
| 자료 | 거울 |
| 아이템 | 만세, 머리, 박수, 구리구리, 어깨, 준비, 통통통, 예쁜짓, 꽃받침, 안녕, 훨훨, 발굴러, 탁자두드리기, 무릎 손으로 두드리기, 크게 원만들기, 머리쓰다듬기, 손바닥 비비기, 배 두드리기, 사랑해요, 으쓱으쓱 |

| 10 | 얼굴 표정 따라하기 |
| --- | --- |
| 설명 | 부모님이 "따라해"라고 지시하며 얼굴 표정을 보여줍니다. 지시를 듣고 아이는 3초 이내에 얼굴 표정을 똑같이 따라합니다. 4가지 종류의 표정모방을 연습합니다.  |
| 촉구 | 거울을 보며 함께 표정을 지어봅니다. |
| 자료 | |
| 아이템 | 기쁨, 슬픔, 놀람, 화남 표정 |

| 11 | 사진 또는 그림에 있는 동작을 보고 따라하기 |
|---|---|
| 설명 | 부모님이 "따라해"라고 지시하며 동작이 그려진 그림 또는 사진을 보여줍니다. 지시를 듣고 아이는 3초 이내에 사진과 똑같이 따라합니다. 20가지 종류의 그림 또는 사진 속 동작을 모방합니다. 출처: <뚤뚤이 영어요가> |
| 촉구 | 아이의 손을 잡고 부모님이 보여준 동작을 함께 해봅니다. |
| 자료 | 동작이 그려진 사진 또는 그림 20장 |
| 아이템 | 만세, 머리, 박수, 구리구리, 어깨, 준비, 통통통, 예쁜짓, 꽃받침, 안녕, 훨훨, 발굴러, 탁자두드리기, 무릎 손으로 두드리기, 크게 원만들기, 머리쓰다듬기, 손바닥 비비기, 배 두드리기, 사랑해요, 으쓱으쓱 |

| 12 | 동작 영상을 보고 1개씩 따라하기 |
|---|---|
| 설명 | 부모님이 20가지 동작을 영상으로 미리 찍어둡니다. 동작 영상 중 1가지를 보여주며 "따라해"라고 지시합니다. 아이는 지시를 듣고 영상을 보면서 3초 이내에 영상 내 동작을 똑같이 따라합니다. 20가지 종류의 동작을 연습합니다. |
| 촉구 | 아이의 손을 잡고 영상 내 동작을 함께 해봅니다. |
| 자료 | 영상 20가지 |
| 아이템 | 만세, 머리, 박수, 구리구리, 어깨, 준비, 통통통, 예쁜짓, 꽃받침, 안녕, 훨훨, 발굴러, 탁자두드리기, 무릎 손으로 두드리기, 크게 원만들기, 머리쓰다듬기, 손바닥 비비기, 배 두드리기, 사랑해요, 으쓱으쓱 |

| 13 | 소근육 동작을 1개씩 따라하기 |
|---|---|
| 설명 | 부모님이 “따라해”라고 지시하며 소근육 동작을 1가지 보여줍니다. 지시를 듣고 아이는 3초 이내에 동작을 똑같이 따라합니다. 20가지 종류의 소근육 동작을 연습을 합니다. 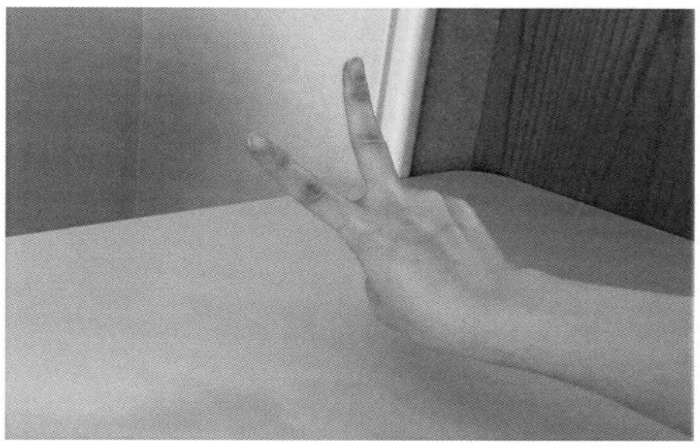 |
| 촉구 | 아이의 손을 잡고 부모님이 보여준 동작을 함께 해봅니다. |
| 자료 | |
| 아이템 | 주먹, 보, 최고, 가위, 오케이 새끼손가락만 피기, 포인팅, 손등비비기, 깍지끼기, 피아노 치는손, 엄지만 접기, 노래부르는 손, 브이, 검지끼리 붙이기, 기도하는 손, 손가락 하나씩 접기, 안경 만들기, 곤지곤지, 잼잼, 손가락하트 |

| 14 | 1개의 사물을 이용한 2단계의 동작을 보고 따라하기 |
|---|---|
| 설명 | 부모님이 “따라해”라고 말하며 사물을 이용한 두 단계의 동작 하나를 보여줍니다. 동작을 보여준 뒤 아이에게 “해봐”라고 이야기합니다. 지시를 듣고 아이는 3초 이내에 동작을 똑같이 따라합니다. 10가지 종류의 두 단계 동작을 연습을 합니다. 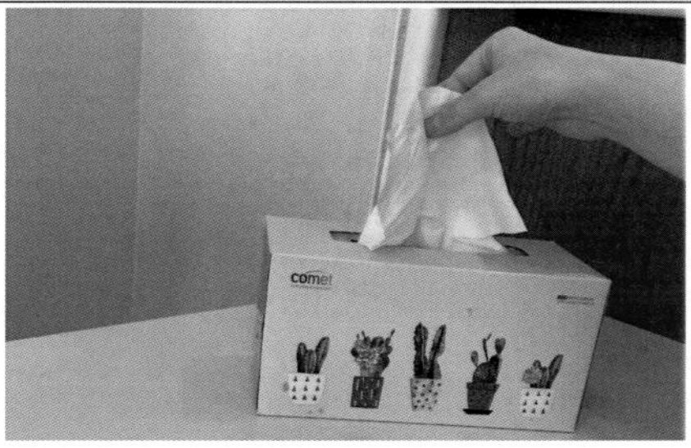 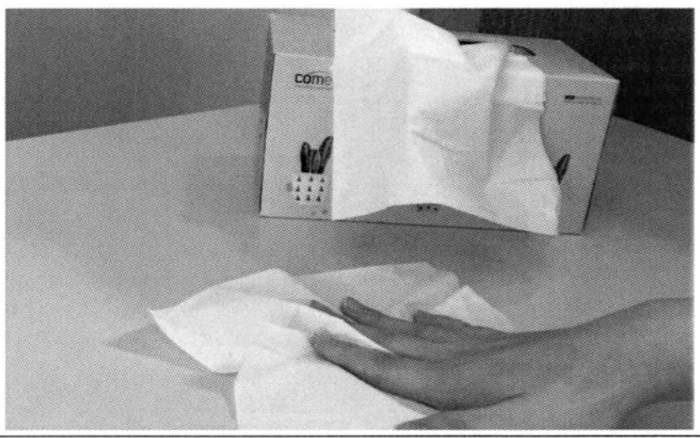 |
| 촉구 | 방법1) 아이의 손을 잡고 부모님이 보여준 동작을 함께 해봅니다.<br>방법2) 말로 직접 알려줍니다. ex) “휴지 뽑아서 닦아” |
| 자료 | 10가지 종류의 사물 |
| 아이템 | 휴지 뽑아서 책상닦기, 클레이 꺼내서 꾹 누르기, 딸기 붙이고 냠냠 먹기, 박스에서 신발 꺼내서 신기, 휴지로 책상닦고 휴지통에 버리기, 아기 이불덮고 토닥토닥, 인형 차에 태우고 부릉가기, 스카프 흔들고 바구니에 넣기, 색연필 꺼내서 끼적이기, 공 꺼내서 골대에 던지기 |

| 15 | 관련없는 2개의 사물 터치하는 동작 따라하기 (10가지) |
| --- | --- |
| 설명 | 부모님이 사물 5개를 책상에 나열한 뒤 "따라해"라고 말하며 사물 2개를 터치합니다. 동작을 보여준 뒤 아이에게 "해봐"라고 이야기합니다. 지시를 듣고 아이는 3초 이내에 부모님이 터치한 사물 2개를 터치합니다. 10가지 종류의 사물로 연습합니다. |
| 촉구 | 방법1) 아이의 손을 잡고 부모님이 터치한 사물을 함께 터치합니다.<br>방법2) 터치한 두 사물의 이름을 말해줍니다.<br>방법3) 터치한 두 사물을 하나씩 포인팅합니다. |
| 자료 | 10개의 사물 |
| 아이템 | 컵, 블록, 마라카스, 냄비, 강아지, 딸기, 버스, 인형, 색연필, 귤 등 |

| 16 | 여러 사물을 이용한 2단계 동작모방 (10가지) |
| --- | --- |
| 설명 | 부모님이 "따라해"라고 말하며 여러 사물을 이용한 두 단계의 동작을 보여줍니다. 동작을 보여준 뒤 아이에게 "해봐"라고 이야기합니다. 지시를 듣고 아이는 3초 이내에 동작을 똑같이 따라합니다. 10가지 종류의 2단계 동작을 연습 합니다. 이때 5가지 종류는 관련된 2단계 동작, 나머지 5가지 종류는 관련없는 2단계 동작모방으로 진행합니다. |
| 촉구 | 방법1) 아이의 손을 잡고 부모님이 보여준 동작을 함께 해봅니다.<br>방법2) 말로 직접 알려줍니다. ex)"자동차 부릉가고 휴지로 책상 닦아" |
| 자료 | |
| 아이템 | STO 1) <관련된 2단계 동작> : 아기 우유주고 이불덮기, 냄비에 배추 담고 가스레인지 올리기, 고기 그릇에 넣고 포크로 찍어먹기, 딸기 칼로 잘라서 컵에 넣기, 클레이 밀대로 밀고 모양찍기 등<br>STO 2) <관련없는 2단계 동작> : 컵으로 물마시고 색연필 끼적이기, 자둥차 부릉 가고 휴지로 책상 닦기, 아기 우유주고 냄비에 배추담기, 클레이 누르고 포크로 고기먹기, 딸기 칼로 자르고 신발신기 등 |

| 17 | 사물없이 2단계의 동작을 보고 따라하기 |
|---|---|
| 설명 | 부모님이 "따라해"라고 말하며 사물없이 두 단계의 동작 하나를 보여줍니다. 지시를 듣고 아이는 3초 이내에 동작을 똑같이 따라합니다. 10가지 종류의 두 단계 동작을 연습합니다. 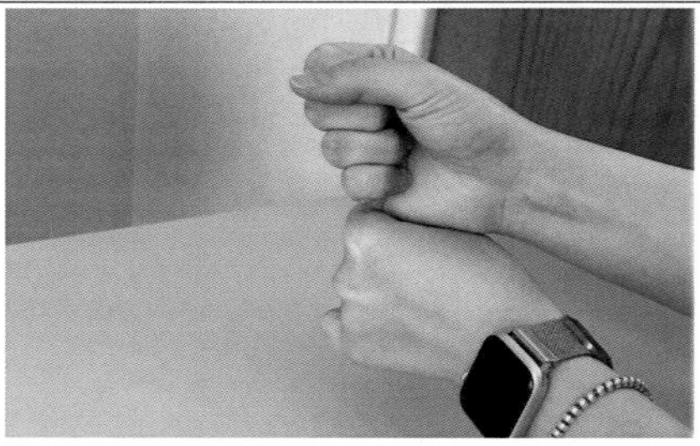 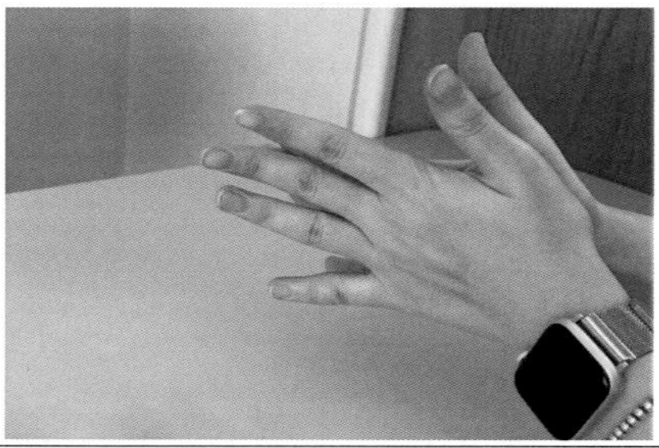 |
| 촉구 | 방법1) 아이의 손을 잡고 부모님이 보여준 동작을 함께 해봅니다.<br>방법2) 말로 직접 알려줍니다. ex) "만세하고 머리만져", "머리만지고 박수쳐" 등 |
| 자료 | |
| 아이템 | 만세하고 머리만지기, 머리만지고 박수치기, 박수치고 구리구리하기, 구리구리하고 어깨만지기, 어깨만지고 준비자세, 준비자세하고 통통통, 통통통하고 예쁜짓하기, 예쁜짓하고 꽃받침하기, 꽃받침하고 안녕하기, 만세하고 준비하기 |

| 18 | 사물을 이용한 3단계의 동작을 보고 따라하기 |
|---|---|
| 설명 | 부모님이 "따라해"라고 말하며 사물을 이용한 세 단계의 동작 하나를 보여줍니다. 지시를 듣고 아이는 3초 이내에 동작을 똑같이 따라합니다. 10가지 종류의 세 단계 동작을 연습합니다. 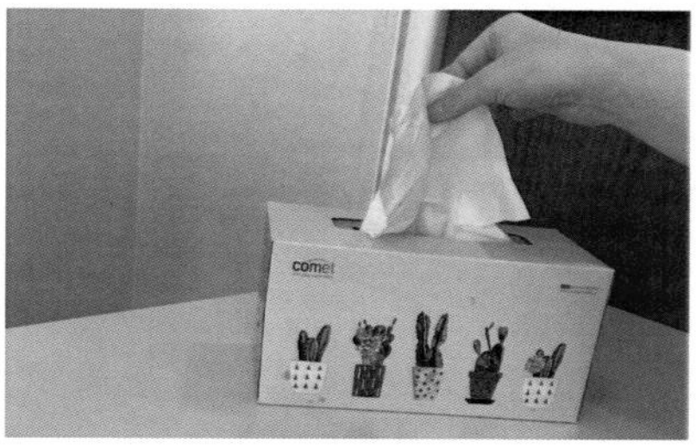 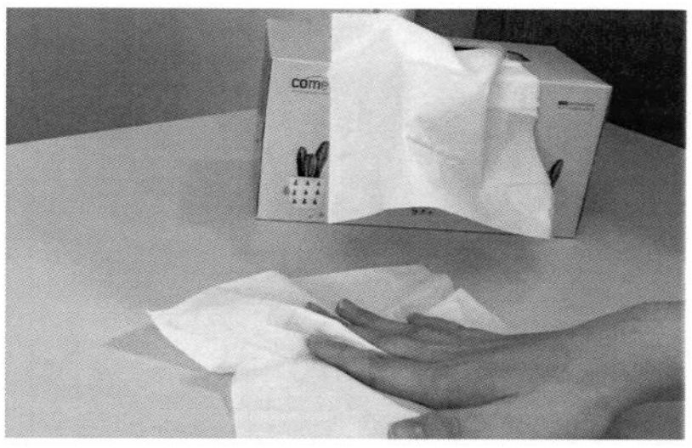  |
| 촉구 | 방법1) 아이의 손을 잡고 부모님이 보여준 동작을 함께 해봅니다.<br>방법2) 말로 직접 알려줍니다. ex) "박스열고 슬리퍼 꺼내서 신어", "휴지뽑고 책상 닦고 버려" 등 |
| 자료 | 10가지 종류의 사물 |
| 아이템 | 박스열고 슬리퍼 꺼내고 신기, 휴지뽑고 책상닦고 버리기, 아기 우유주고 이불덮고 토닥이기, 딸기 잘라서 컵에넣고 마시기, 냄비에 배추넣고 가스레인지 올리고 숟가락으로 젓기, 듀플로 아빠 차에 태우고 부릉가서 나무블록3개 넘어뜨리기, 듀플로아빠 문열고 들어가서 침대에 눕히기, 소파열어서 포비눕히고 캠핑카에넣기, 에디 캠핑카에 올라가서 쉬하고 코자기, 에디 캠핑카에 올라가서 냠냠먹고 앉기 |

| 19 | 사물 없이 3단계의 동작을 보고 따라하기 |
|---|---|
| 설명 | 부모님이 “따라해”라고 말하며 사물 없이 세 단계의 동작 하나를 보여줍니다. 지시를 듣고 아이는 3초 이내에 동작을 똑같이 따라합니다. 10가지 종류의 세 단계 동작을 연습합니다. 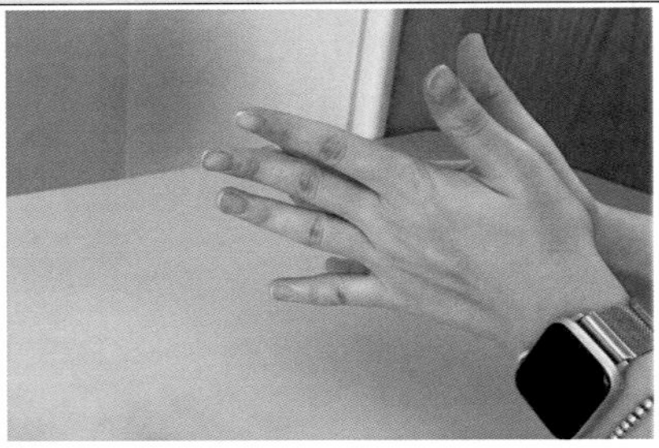 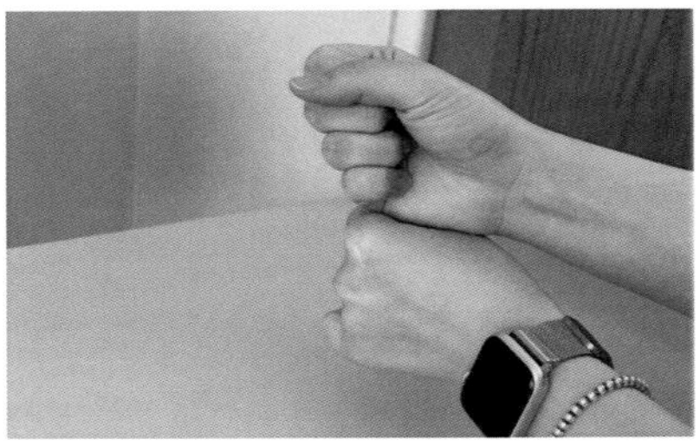 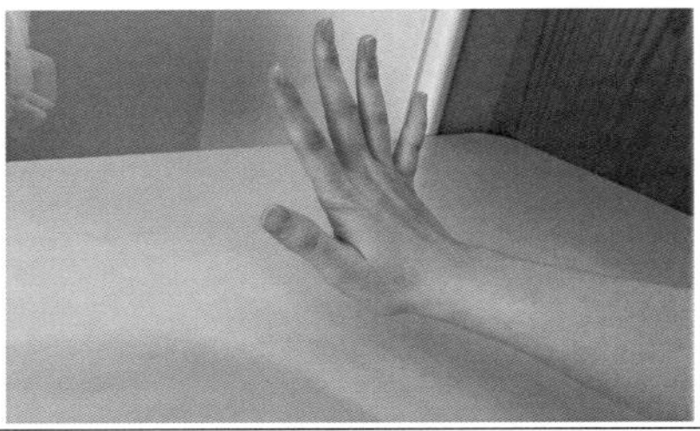 |
| 촉구 | 방법1) 아이의 손을 잡고 부모님이 보여준 동작을 함께 해봅니다.<br>방법2) 말로 직접 알려줍니다. ex) “만세하고 머리만지고 박수쳐”, “머리만지고 구리구리하고 손무릎해” 등 |
| 자료 | |
| 아이템 | 만세+머리+박수, 머리+구리구리+손무릎, 준비+어깨+통통통, 훨훨+예쁜짓+안녕, 꽃받침+안녕+준비, 통통통+구리구리+만세, 만세+훨훨+꽃받침, 예쁜짓+머리+만세, 배+어깨+머리, 코+배+안녕 |

| 20 | 연습하지 않은 새로운 동작을 보고 따라하기 |
|---|---|
| 설명 | 한 번도 해보지 않은 동작으로 율동 모방을 시도해 보거나 장난감으로 사물을 가지고 하는 모방을 시도해봅니다. 처음 하는 동작을 보고 3초 이내에 똑같이 따라합니다.<br>출처:유튜브<초코초코> |
| 촉구 | 신체적 촉구가 필요하다면 좀 더 모방 연습을 할 필요가 있습니다. 촉구가 필요없을 때까지 새로운 동작을 모방하는 연습을 해주세요. |
| 자료 | 새로운 장난감, 새로운 율동 |
| 아이템 | |

Language Education & Training
for Special Children

# 토리 LETS
# 영역별 가이드북

## [4] 언어모방

BCBA 전은지
QBA 송지연

• 언어발달을 위한 ABA 프로그램 •

2024 개정판

## 1. 언어모방이란?

언어발달을 위한 ABA 프로그램에서 언어모방은 다른 사람의 입 모양, 말 소리를 관찰하고 따라하는 과정을 의미합니다. 예를 들어, 부모님이 “따라해”라고 말한 뒤 “아–” 라고 입을 벌려 소리 낸다면, 아이는 부모님의 입 모양을 보고 소리를 들으며 똑같이 “아–” 라고 소리 내게 됩니다. 이러한 언어모방을 통해 아이는 구어의 기초를 다지고 발성을 연습할 수 있습니다. 또한 정확히 발음할 수 있는 연습을 하며 단순하고 기계적인 언어 사용이 감소할 수 있습니다.

언어모방은 의사소통의 시작입니다. 자신의 의견을 전달하는 방법과 다른 사람과 상호작용하는 방법의 기초를 쌓을 수 있지요. 아이가 스스로 음성을 내고 말을 해보는 연습을 하면서 복잡한 음성 언어일지라도 차근차근 소리내는 방법을 배워갈 수 있습니다. 처음엔 아이의 발음이나 입 모양이 정확하지 않아도 부모님의 입을 보고 비슷하게 하려고 시도했다면 칭찬도 해주고 보상을 주며 동시에 정확한 발음을 들려주면 됩니다. 그러다 말을 하기 시작하면 정확한 발음을 지도해줍니다.

다만 아무것도 준비되지 않은 채로 바로 언어모방 프로그램을 시작하지는 않습니다. 많은 부모님들이 아이가 말이 느릴 때 말을 따라하게 하는 연습만 시키시곤 합니다. 얼핏 생각해보면 ‘우리 아이가 말이 잘 안 나오니까 말 따라하는 연습부터 하면 되지 않나?’ 싶기도 하죠. 하지만 동작모방, 매칭연습, 변별, 지시따르기, 요구하기, 명명하기 등 다양한 영역이 골고루 발달해야 기능적인 언어가 나타납니다.

### 언어발달을 위한 ABA프로그램

따라서 아이가 부모님을 쳐다보며 여러가지 대근육, 소근육 동작 모방을 적극적으로 할 수 있을 때 턱 움직이기나 입을 크게 벌리는 것과 같이 간단한 언어모방도 조금씩 시도합니다. 동작모방이 된다는 것은 부모님의 행동을 보고, 이해하고, 따라할 수 있다는 것입니다. 이것이 선행되어야 입 모양을 보고 이해하고 따라하는 것도 가능하게 됩니다. 다시 말해 동작모방 과제는 언어모방과제로 이어지고, 언어모방을 할 수 있어야 자발적인 언어 사용이 가능해지는 것입니다.

언어모방을 연습하는 것은 언어습득, 의사소통, 사회적 상호작용 등 다양한 측면에서 아동의 발달과 성장을 촉진하는 데에 중요한 역할을 합니다. 아이는 성인의 입을 보고 소리를 매칭하면서 새로운 발음, 단어, 억양을 배우고 발달시킵니다. 이로써 의사소통이 원활해지고 상대방과의 상호작용도 증가하게 됩니다. 친구, 가족, 선생님과의 관계를 구축할 수 있어 사회적인 기술을 발달시키는 데에도 물론 도움을 준답니다.

ABA 프로그램에서 언어모방은 눈, 코, 입, 귀와 같이 얼굴에 있는 신체부위를 정확하게 가리키는 동작을 따라하는 것에서부터 시작합니다. 이 과정은 아이가 부모님의 행동을 보고, 이해하고, 따라할 수 있다면 대근육, 소근육 동작모방을 완료하지 않았더라도 충분히 시도해볼 수 있습니다. 이후 턱이나 혀의 움직임 따라하기, '후' 부는 동작 따라하기, 모음 1음절 따라하기, 친숙한 2음절, 친숙한 3음절 따라 말하기, 그리고 1개의 단어에서 3개의 단어를 따라 말하기까지 단계적으로 진행됩니다. 17가지의 장기목표로 구성되어 있으며 어느 정도 대근육 동작모방과 소근육 동작모방을 숙달한 뒤 시작하면 가장 좋습니다.

# 2. 언어모방을 위한 장기목표 (17가지)

| 1 | 양볼 문지르기, 인디언 아 동작 따라하기 |
|---|---|
| 설명 | 부모님이 "따라해"라고 말하며 양볼을 문지르거나 인디언 아 하는 동작을 보여줍니다. 지시를 듣고 아이는 3초 이내에 동작을 똑같이 따라합니다. |
| 촉구 | 아이의 손을 잡고 부모님이 보여준 동작을 함께 해봅니다. |
| 자료 | |
| 아이템 | |

| 2 | 눈, 코, 입, 귀를 포인팅하는 동작 따라하기 |
|---|---|
| 설명 | 부모님이 "따라해"라고 말하며 눈, 코, 입, 귀 중 한 부위를 포인팅합니다. 지시를 듣고 아이는 3초 이내에 동작을 똑같이 따라합니다. |
| 촉구 | 아이의 손을 잡고 부모님이 보여준 동작을 함께 해봅니다. |
| 자료 | |
| 아이템 | |

| 3 | 볼, 코, 귀, 입술 잡는 동작 따라하기 | |
|---|---|---|
| 설명 | 부모님이 "따라해"라고 말하며 볼, 코, 귀, 입술 중 한 부위를 잡습니다. 지시를 듣고 아이는 3초 이내에 동작을 똑같이 따라합니다. | |
| 촉구 | 아이의 손을 잡고 부모님이 보여준 동작을 함께 해봅니다. | |
| 자료 | | |
| 아이템 | | |

| 4 | 윗입술, 아랫입술, 치아, 혀를 포인팅하는 동작 따라하기 | |
|---|---|---|
| 설명 | 부모님이 "따라해"라고 말하며 윗입술, 아랫입술, 치아, 혀 중 한 부위를 포인팅합니다. 지시를 듣고 아이는 3초 이내에 동작을 똑같이 따라합니다. | |
| 촉구 | 아이의 손을 잡고 부모님이 보여준 동작을 함께 해봅니다. | |
| 자료 | | |
| 아이템 | | |

| 5 | 다양한 턱 움직임 따라하기 |
|---|---|
| 설명 | 부모님이 "따라해"라고 말하며 윗니와 아랫니를 부딪히며 딱딱 소리를 내거나, 입을 크게 벌리며 '아' 하거나, '이'하는 동작을 보여줍니다. 지시를 듣고 아이는 3초 이내에 동작을 똑같이 따라합니다. |
| 촉구 | 나란히 앉아 거울을 보고 따라해봅니다. |
| 자료 | |
| 아이템 | 이 딱딱소리 내기, 입 크게 벌리고 '아' 또는 '이' 하기 |

| 6 | 다양한 혀 움직임 따라하기 |
|---|---|
| 설명 | 부모님이 "따라해"라고 말하며 메롱 동작을 하거나, 혀를 좌우로 움직이는 동작을 하거나, 혀를 위아래로 움직이는 동작을 하며 아이에게 보여줍니다. 지시를 듣고 아이는 3초 이내에 동작을 똑같이 따라합니다. |
| 촉구 | 나란히 앉아 거울을 보고 따라해봅니다. |
| 자료 | |
| 아이템 | 메롱, 혀 왼쪽, 혀 오른쪽, 여 위쪽, 혀 아래쪽, 혀 좌우로 움직이기, 혀 위아래로 움직이기, 이로 혀 살짝 물기, 혀로 볼 밀기 등 |

| 7 | 다양한 입술 움직임 따라하기 | |
|---|---|---|
| 설명 | 부모님이 "따라해"라고 말하며 입술을 안으로 넣거나, 입술을 '우'하고 내밀거나, 입술을 이용해 쩝쩝 소리를 내거나 뽀뽀 소리를 내는 동작을 보여줍니다. 지시를 듣고 아이는 3초 이내에 동작을 똑같이 따라합니다. 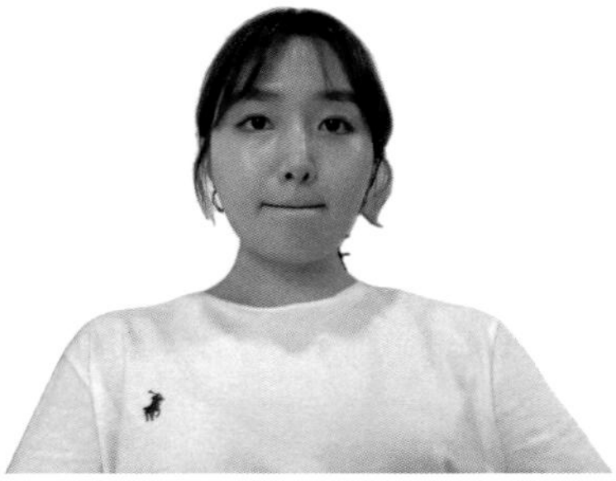 | |
| 촉구 | 나란히 앉아 거울을 보고 따라해봅니다. | |
| 자료 | | |
| 아이템 | 입술 안으로 넣기, 입술 내밀기, 입술 쩝쩝 소리내기, 입술 뽀뽀 소리내기 | |

| 8 | 다양한 조각들 부는 동작 따라하기 | |
|---|---|---|
| 설명 | 부모님이 "따라해"라고 말하며 색종이 조각, 반짝이 조각, 휴지 조각 등을 '후'하고 부는 동작을 보여줍니다. 지시를 듣고 아이는 3초 이내에 부는 동작을 똑같이 따라합니다.  | |
| 촉구 | | |
| 자료 | 색종이 조각, 반짝이 조각, 휴지 조각, 색종이 긴 조각, 반짝이 수술 | |
| 아이템 | | |

| 9 | 불기 기구 부는 동작 따라하기 |
|---|---|
| 설명 | 부모님이 "따라해"라고 말하며 나팔, 카쥬, 하모니카, 비누방울, 촛불과 같은 도구를 부는 동작을 보여줍니다. 지시를 듣고 아이는 3초 이내에 도구를 집고 동작을 똑같이 따라합니다.  |
| 촉구 | |
| 자료 | |
| 아이템 | 나팔, 카쥬, 피리, 하모니카, 비누방울, 호루라기, 촛불, 오카리나, 탁구공, 빨대불기 등 |

| 10 | 1음절의 음성 따라하기 (아,에,이,오,우) |
|---|---|
| 설명 | 부모님이 "따라해" 라고 말하며 '아, 에, 이, 오, 우'와 같은 1음절을 들려줍니다. 지시를 듣고 아이는 3초 이내에 1음절의 음성을 똑같이 따라합니다. 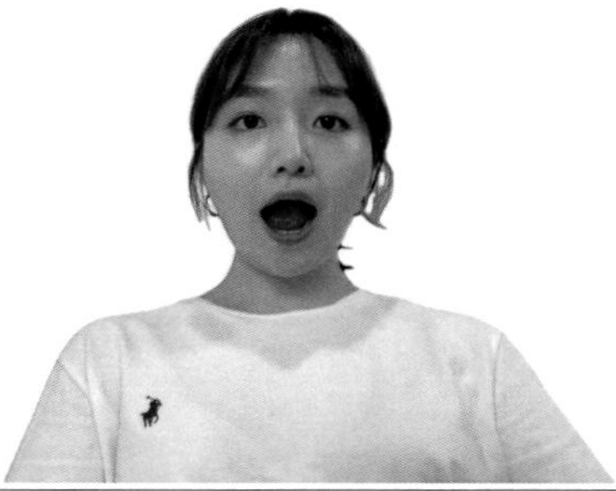 |
| 촉구 | |
| 자료 | |
| 아이템 | 아, 에, 이, 오, 우 |

| 11 | 서로 다른 길이의 음성 따라하기 |
| --- | --- |
| 설명 | 부모님이 "따라해" 라고 말하며 '아'와 같은 1음절을 길게 혹은 짧게 들려줍니다. 지시를 듣고 아이는 3초 이내에 음성의 길이를 똑같이 따라합니다. |
| 촉구 | |
| 자료 | |
| 아이템 | '아' 길게, '아' 짧게 |

| 12 | 1음절의 자음+모음 조합 따라하기 (15개) |
| --- | --- |
| 설명 | 부모님이 "따라해" 라고 말하며 '마, 보, 누, 세'와 같은 자음과 모음을 조합한 1음절을 들려줍니다. 지시를 듣고 아이는 3초 이내에 소리를 똑같이 따라합니다. |
| 촉구 | |
| 자료 | |
| 아이템 | 마메미모무 / 바베비보부 / 나네니노누 등 |

| 13 | 1-2음절의 친숙한 단어 따라하기 (20개) |
| --- | --- |
| 설명 | 부모님이 "따라해" 라고 말하며 '물, 엄마, 아빠, 까까, 빠빠'와 같은 친숙한 1-2음절의 음성을 들려줍니다. 지시를 듣고 아이는 3초 이내에 1-2음절의 음성을 똑같이 따라합니다. 20개의 단어를 연습합니다. 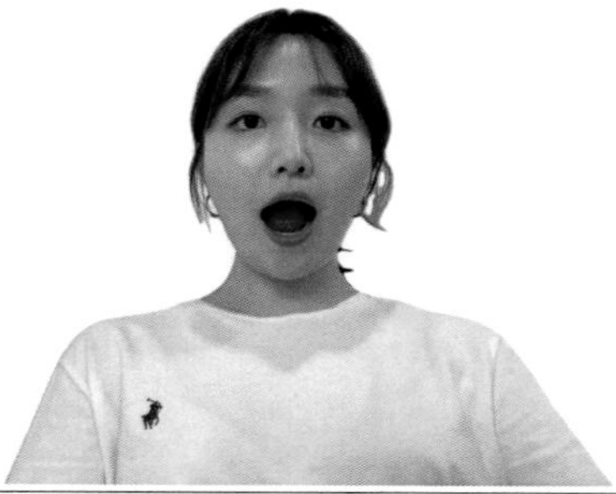 |
| 촉구 | 2음절의 경우 1음절씩 따로 따라해봅니다. |
| 자료 | |
| 아이템 | 물, 까까, 엄마, 아빠, 맘마, 빵, 우유, 밥, 공, 멍멍, 안녕, 야옹, 어부바, 버스, 바나나, 먹어, 하마, 아가, 응가, 타요 등 |

| 14 | 3-4음절의 친숙한 단어 또는 의성어 따라하기 (20개) |
| --- | --- |
| 설명 | 부모님이 "따라해"라고 말하며 '강아지, 고양이, 삐약삐약, 음매음매'와 같은 친숙한 3-4음절의 음성을 들려줍니다. 지시를 듣고 아이는 3초 이내에 3-4음절의 음성을 똑같이 따라합니다. 20개의 단어를 연습합니다. 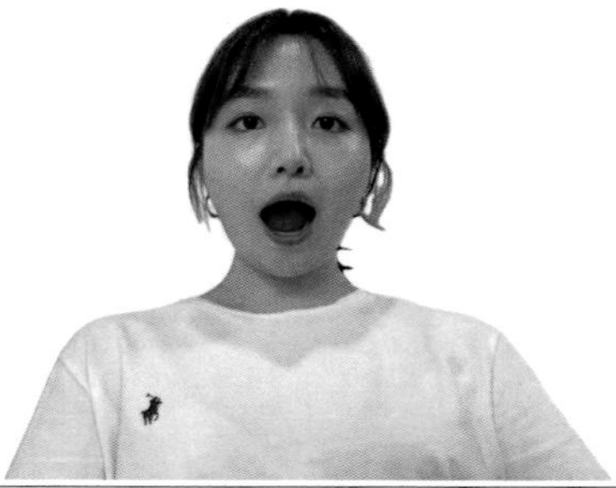 |
| 촉구 | 1-2음절씩 끊어서 따라해봅니다. |
| 자료 | |
| 아이템 | STO 1) 3음절: ex) 코끼리, 면바지, 바나나, 고양이, 자동차, 두더지, 냉장고, 지팡이, 고구마, 강아지, 토마토 등<br>STO 2) 4음절 의성어: ex) 애앵애앵, 삐뽀삐뽀, 삐약삐약, 음매음매, 엉금엉금, 살랑살랑, 간질간질, 길죽길죽, 깡총깡총, 딸랑딸랑 등 |

| 15 | 동작 단어 따라하기 (10개) | |
|---|---|---|
| 설명 | 부모님이 "따라해"라고 말하며 '코자, 앉아, 신어'와 같은 동작 단어를 들려줍니다. 지시를 듣고 아이는 3초 이내에 동작 단어를 똑같이 따라합니다. 10개의 단어를 연습합니다. | 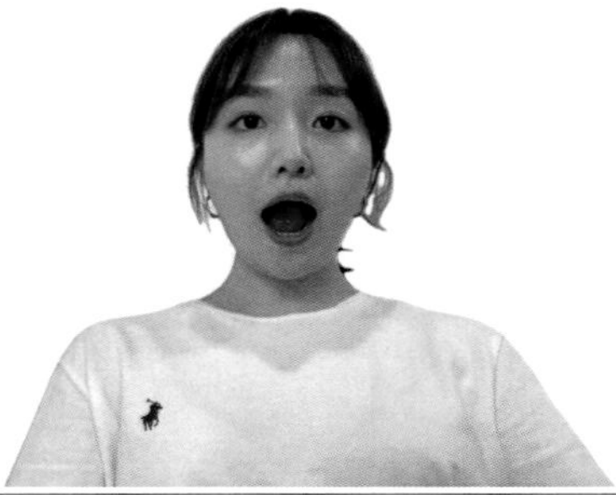 |
| 촉구 | 1음절씩 따로 따라해봅니다. | |
| 자료 | | |
| 아이템 | 코자, 앉아, 버려, 신어, 입어, 먹어, 잘라, 색칠해, 올라가, 문열어 등 | |

| 16 | 2단어 따라하기 (20개) | |
|---|---|---|
| 설명 | 부모님이 "따라해"라고 말하며 '밥을 먹어요, 물을 마셔요, 엄마랑 뽀뽀해요'와 같은 2단어 음성을 들려줍니다. 지시를 듣고 아이는 3초 이내에 2단어의 음성을 똑같이 따라합니다. 20개의 문장을 연습합니다. 이때 따라말하는 것이 목적이므로 아이가 문장의 뜻을 몰라도 괜찮습니다. |  |
| 촉구 | 한 단어씩 따로 따라해봅니다. | |
| 자료 | | |
| 아이템 | 엄마 코자, 아빠 앉아, 엄마 안아, 뽀로로 치카해, 루피 책봐, 해리 밥먹어, 크롱 낚시해, 크롱 응아해, 엄마 사랑해, 쓰레기 버려, 의자에 앉아, 신발 신어, 딸기 잘라, 엄마 옷입어, 계단 올라가, 아빠 문열어, 그림 색칠해, 토끼 치카해, 호랑이 손씻어, 엄마랑 인사해 등 | |

| 17 | 3단어 따라하기 (20개) |
|---|---|
| 설명 | 부모님이 "따라해" 라고 말하며 '염소가 풀을 먹어요, 고양이가 물고기를 먹어요'와 같은 3단어 음성을 들려줍니다. 지시를 듣고 아이는 3초 이내에 3단어의 음성을 똑같이 따라합니다. 20개의 문장을 연습합니다. 이때 따라말하는 것이 목적이므로 아이가 문장의 뜻을 몰라도 괜찮습니다. 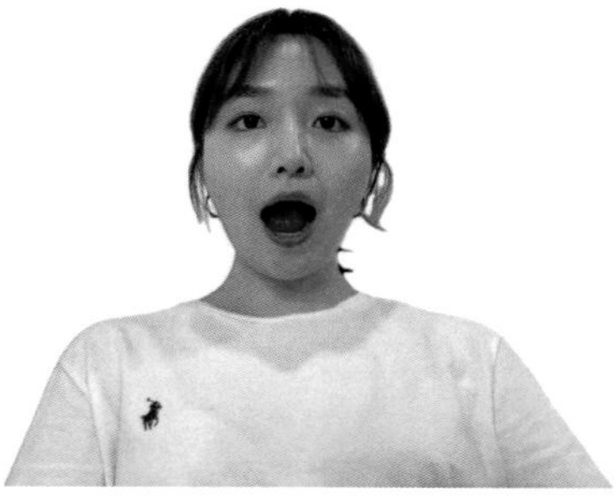 |
| 촉구 | 한 단어씩 따로 따라해봅니다. |
| 자료 | |
| 아이템 | 선생님이 의자에 앉아요, 선생님이 물을 마셔요, 엄마가 차를 타요, 아빠가 주스 마셔요, 엄마가 거울을 봐요, 엄마가 밥을 먹어요, 아빠가 치카를 해요, 아빠가 옷을 입어요, 아빠가 신발을 신어요, 엄마가 장갑을 껴요, 선생님이 손을 씻어요, 엄마가 옷을 입어요, 아빠가 문을 열어요, 친구(00)가 색칠을 해요, 친구(00)가 신발을 신어요, 친구(00)가 쓰레기를 버려요, 크롱이 낚시를 해요, 크롱이 응아를 해요, 나는 엄마를 사랑해, 아빠가 딸기를 잘라요, 해리가 빵을 먹어요 등 |

Language Education & Training
for Special Children

# 토리 LETS
# 영역별 가이드북

## [5] 변별

BCBA 전은지
QBA 송지언

• 언어발달을 위한 ABA 프로그램 •
2024 개정판

# 1. 변별이란?

언어발달을 위한 ABA 프로그램에서 변별과 지시따르기는 '듣기', 즉 청자 행동에 포함됩니다. 모든 언어 기능은 듣기 능력이 있다는 가정에 기반하기 때문에 듣기 능력이 부족하거나 없다면 이 능력이 형성되도록 유도해주어야 합니다. 듣기 학습이 잘 이루어져야 따라말하기, 대화하기, 사회적 행동 등이 가능해지므로 이를 연습하는 것은 매우 중요합니다.

듣기 행동 중 변별은 단어를 듣고 판단하는 능력과 관련이 있고, 들은 뒤 행동으로 직접 표현하는 것은 지시따르기와 관련이 있습니다. 예를 들어, 변별 연습에서는 성인이 "물 마셔"라고 했을 때 물 마시는 동작 카드를 변별해 성인에게 건네주어야 하고, 지시따르기 연습에서는 성인이 "물 마셔"라고 했을 때 컵을 들고 직접 물 마시는 동작을 해야 합니다.

이렇게 변별과 지시따르기는 언어발달에서 이야기하는 '수용언어'의 개념과 같습니다. 수용언어의 발달이 있어야 이후 표현언어의 발달이 가능하므로 변별과 지시따르기 능력을 습득할 수 있도록 많은 노력이 필요합니다. 이번 장은 듣기 행동 중 변별에 특히 집중하여 작성하였습니다.

## 언어발달을 위한 ABA프로그램

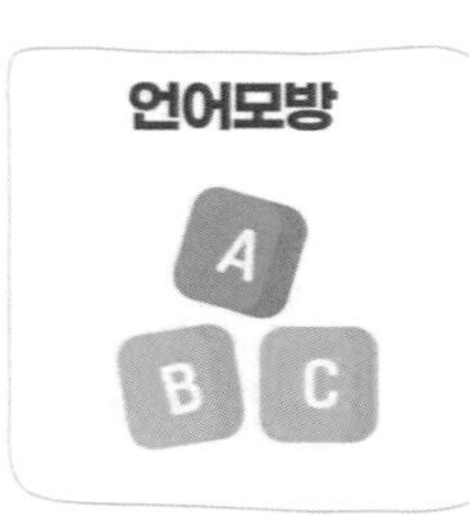

변별에서는 단어에 대한 '인지'가 있는지 알아보는 것이 중요한 포인트입니다. 즉, 변별 연습에서는 청각적인 언어 자극을 알아듣고 그에 맞게 반응하는 것을 중요시합니다. 변별할 수 있는 길이를 점차 늘리면서 청각 자극을 기억할 수 있는 능력을 키울 수도 있고, 언어 자극을 듣고 적절히 반응하는 연습을 반복하면서 아동은 '개념'을 형성하게 됩니다. 또한 반복적으로 변별을 연습하면서 어디까지가 A이고 어디까지가 B인지도 알아볼 수 있게 됩니다. 예를 들어, 처음에는 빨간색 자동차만 자동차라고 변별했으나 점차 다양한 색의 자동차를 모두 자동차라고 변별할 수 있게 되는 것입니다. 또한 처음에는 자동차만 탈 것으로 변별했지만 연습을 통해 자동차, 기차, 자전거를 모두 탈 것으로 변별할 수 있게 됩니다.

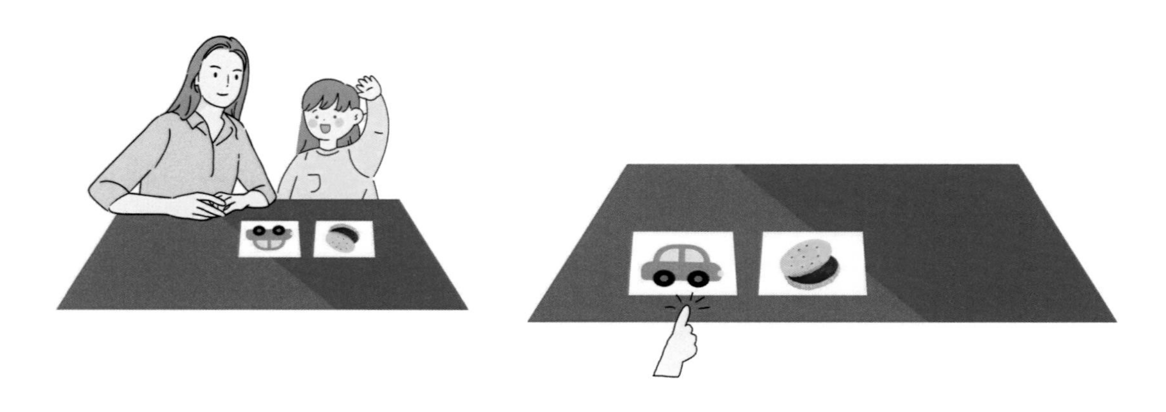

변별은 아이들의 일상생활에서 매우 중요한 기술입니다. 변별학습을 통해 자극들을 구별하고 이해하는 것이 가능해지면 다양한 상황에서 적절한 반응을 할 수 있게 됩니다. 변별학습이 잘 이루어졌다면 다른 사람들과 소통할 때 사람들의 말을 이해하고 적절한 반응을 할 수 있고, 어떤 불쾌한 자극이 있을 때 그것이 위험한 상황인지 구별하여 적절하게 대처할 수 있기도 합니다. 변별을 통해 자극을 정확히 이해하고 기억하는 능력이 향상되면 자연스레 학습 능력도 높아집니다. 즉, 변별능력을 가져야 일상에서 더 높은 수준의 자율성과 적응력, 학습 능력을 발휘할 수 있게 됩니다.

ABA 프로그램에서 변별은 말하는 사람과 눈을 맞출 수 있는지부터 시작해 좋아하는 물건을 찾는 것, 다양한 아이템의 이름을 듣고 찾는 것, 사물의 기능이나 범주를 듣고 찾는 것, 성별, 형용사, 부정어 등을 듣고 알맞은 답을 찾아 변별하는 것까지 단계적으로 진행됩니다. 변별 영역은 30가지의 단계적인 장기목표로 구성되어있으며, 아이들 개개인의 수준에 따라 가장 기본적인 것부터 차근차근 배우게 됩니다.

# 2. 변별을 위한 장기목표(30가지)

| 1 | 가리키는 곳을 쳐다보며 포인팅하기 |
| --- | --- |
| 설명 | 부모님이 책이나 그림, 영상 등을 가리키며 아이에게 보여줍니다. 아이는 부모님이 가리키는 곳을 쳐다보며 함께 포인팅합니다. |
| 촉구 | 아이의 손을 잡고 포인팅 손가락을 만들어주며 함께 같은 곳을 가리킵니다. |
| 자료 | 책, 그림, 또는 영상 |
| 아이템 | |

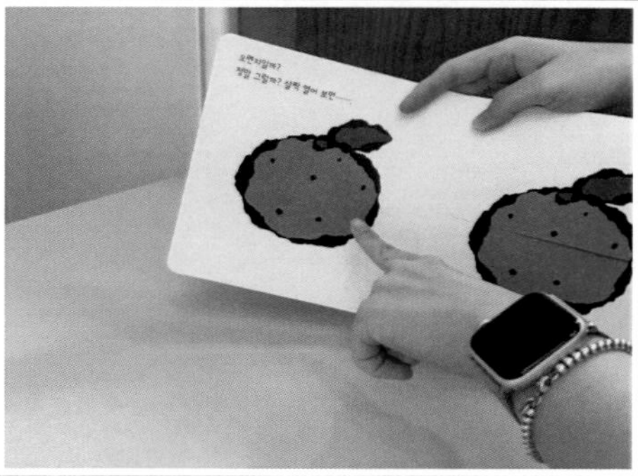

| 2 | 가리키는 것을 건네주기 |
| --- | --- |
| 설명 | 부모님이 "이거 엄마(아빠) 줘." 하면서 앞에 있는 사물을 가리키고 손바닥을 내밉니다. 지시를 듣고 아이는 3초 이내에 부모님이 가리킨 사물을 손에 건네줍니다. |
| 촉구 | 아이의 손을 잡고 사물을 집어 부모님의 손에 함께 올려놓습니다. |
| 자료 | 한 손에 잡히는 사물 아무거나 |
| 아이템 | |

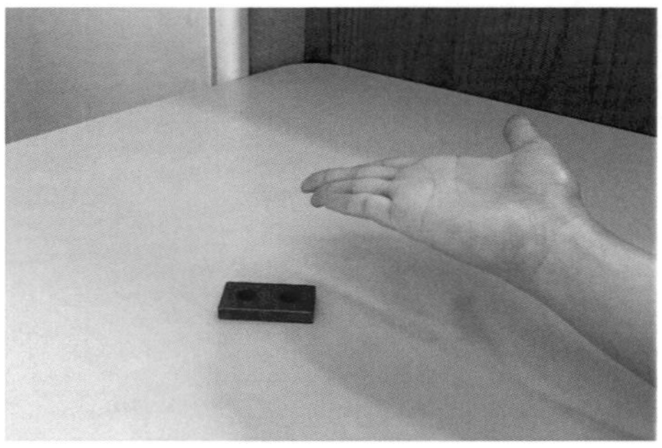

| 3 | 나열된 3가지의 사진 중 아주 좋아하는 것의 이름을 듣고 변별하기 (총 4가지) |
|---|---|
| 설명 | 아이가 아주 좋아하는 사물이 그려진 사진 1장과 다른 사물이 그려진 사진 2장을 책상에 올려놓습니다. 부모님은 아이가 좋아하는 사물의 이름을 말합니다. 아이는 3초 이내에 3장의 사진 중 좋아하는 것이 그려진 사진을 골라 가리키거나 건네줍니다. 4가지 종류의 사진으로 연습합니다. *사진에 대한 이해가 어렵다면 실제 사물을 놓고 연습할 수 있습니다. 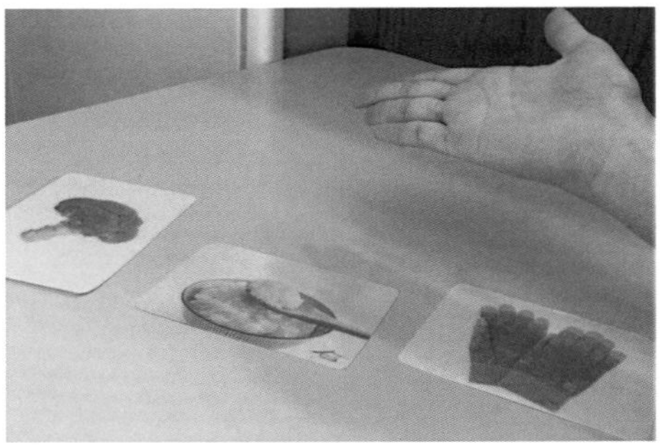 |
| 촉구 | 방법1) 아이의 손을 잡고 부모님에게 사진(사물)을 함께 건네줍니다.<br>방법2) 해당하는 사진(사물)을 손으로 가리켜 알려줍니다. |
| 자료 | 사진이나 사물 6가지(좋아하는 사물 4가지, 다른 사물 2가지) |
| 아이템 | 아주 좋아하는 아이템의 이름 4가지 |

| 4 | 나열된 3가지의 사진 중 아이템의 이름을 듣고 변별하기 (총 6가지) |
|---|---|
| 설명 | 3가지의 서로 다른 사진을 책상 위에 올려놓습니다. 부모님이 3가지 사진 중 하나의 이름을 말하면 아이는 3초 이내에 해당하는 사진을 가리키거나 건네줍니다. 6가지 종류의 사진으로 연습합니다. 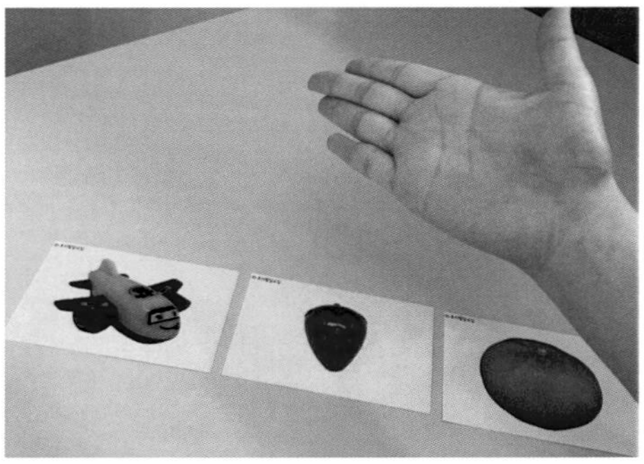 |
| 촉구 | 방법1) 아이의 손을 잡고 부모님에게 사진을 함께 건네줍니다.<br>방법2) 해당하는 사진을 손으로 가리켜 알려줍니다. |
| 자료 | 사진 6장 |
| 아이템 | 바나나, 딸기, 귤, 강아지, 오리, 토끼 |

| 5 | 나열된 3가지의 사진 중 아이템의 이름을 듣고 변별하기 (총 8가지) |
|---|---|
| 설명 | 3가지의 서로 다른 사진을 책상 위에 올려놓습니다. 부모님이 3가지 사진 중 하나의 이름을 말하면 아이는 3초 이내에 해당하는 사진을 가리키거나 건네줍니다. 10가지 종류의 사진으로 연습합니다. 4)에서 이미 6가지 종류의 사진으로 연습했으므로 2가지 종류의 사진만 추가로 연습하면 됩니다. 다만 연습한 8가지 종류의 사진 중 3가지를 골라 나열했을 때 모두 변별할 수 있어야 합니다. 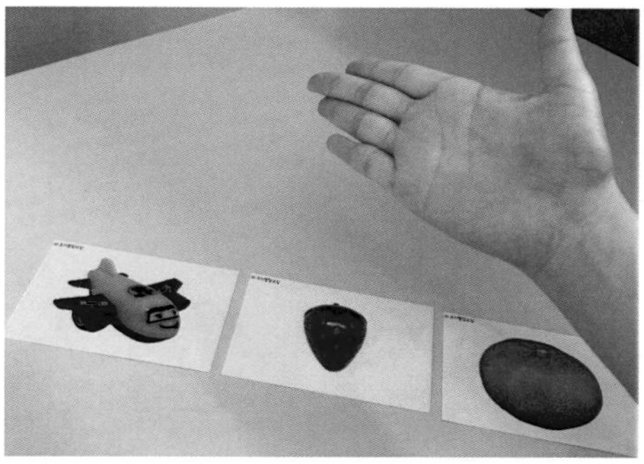 |
| 촉구 | 방법1) 아이의 손을 잡고 부모님에게 사진을 함께 건네줍니다.<br>방법2) 해당하는 사진을 손으로 가리켜 알려줍니다. |
| 자료 | 사진 8장 |
| 아이템 | 바나나, 딸기, 귤, 강아지, 오리, 토끼, 자동차, 기차 |

<table>
<tr><th>6</th><th colspan="2">나열된 3가지의 사진 중 아이템의 이름을 듣고 변별하기 (총 10가지)</th></tr>
<tr><td>설명</td><td>3가지의 서로 다른 사진을 책상 위에 올려놓습니다. 부모님이 3가지 사진 중 하나의 이름을 말하면 아이는 3초 이내에 해당하는 사진을 가리키거나 건네줍니다. 10가지 종류의 사진으로 연습합니다. 5)에서 이미 8가지 종류의 사진으로 연습했으므로 2가지 종류의 사진만 추가로 연습하면 됩니다. 다만 연습한 10가지 종류의 사진 중 3가지를 골라 나열했을 때 모두 변별할 수 있어야 합니다. 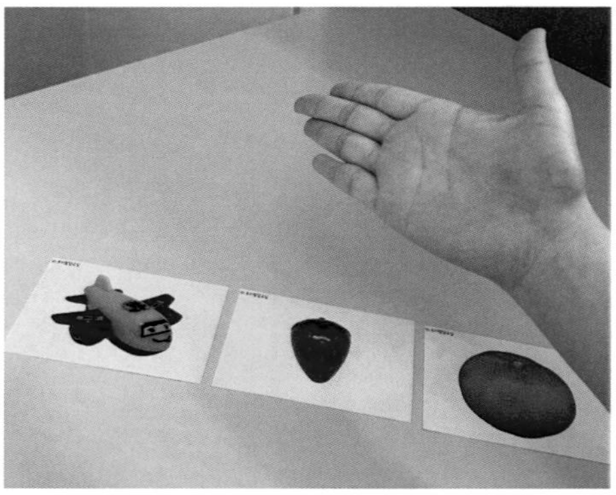</td><td></td></tr>
<tr><td>촉구</td><td colspan="2">방법1) 아이의 손을 잡고 부모님에게 사진을 함께 건네줍니다.<br>방법2) 해당하는 사진을 손으로 가리켜 알려줍니다.</td></tr>
<tr><td>자료</td><td colspan="2">사진 10장</td></tr>
<tr><td>아이템</td><td colspan="2">바나나, 딸기, 귤, 강아지, 오리, 토끼, 자동차, 기차, 비행기, 버스</td></tr>
</table>

| 7 | 나열된 3가지의 사진 중 아이템의 이름을 듣고 변별하기 (총 20가지) |
|---|---|
| 설명 | 3가지의 서로 다른 사진을 책상 위에 올려놓습니다. 부모님이 3가지 사진 중 하나의 이름을 말하면 아이는 3초 이내에 해당하는 사진을 가리키거나 건네줍니다. 20가지 종류의 사진으로 연습합니다. 6)에서 이미 10가지 종류의 사진으로 연습했으므로 10가지 종류의 사진만 추가로 연습하면 됩니다. 다만 연습한 20가지 종류의 사진 중 3가지를 골라 나열했을 때 모두 변별할 수 있어야 합니다. 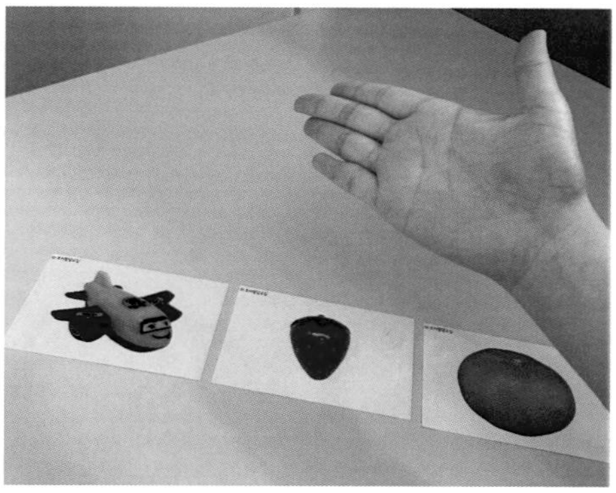 |
| 촉구 | 방법1) 아이의 손을 잡고 부모님에게 사진을 함께 건네줍니다.<br>방법2) 해당하는 사진을 손으로 가리켜 알려줍니다. |
| 자료 | 사진 20장 |
| 아이템 | 바나나, 딸기, 귤, 강아지, 오리, 토끼, 자동차, 기차, 비행기, 버스, 숟가락, 양말, 칫솔, 컵, 블록, 공, 시계, 가위, 색연필, 인형 |

| 8 | 나열된 5가지의 사진 중 동물소리나 환경음을 듣고 변별하기 (총 10가지) |
|---|---|
| 설명 | 5가지의 서로 다른 사진을 책상 위에 올려놓습니다. 부모님이 5가지 사진 중 하나에 해당하는 환경음(ex:빵빵)이나 동물소리(ex:멍멍)를 말합니다. 아이는 3초 이내에 해당하는 사진을 가리키거나 건네줍니다. 10가지 종류의 환경음이나 동물소리를 연습합니다. |
| 촉구 | 방법1) 아이의 손을 잡고 부모님에게 사진을 함께 건네줍니다.<br>방법2) 해당하는 사진을 손으로 가리켜 알려줍니다. |
| 자료 | 사진 10장 |
| 아이템 | 멍멍(강아지), 꽥꽥(오리), 깡총깡총(토끼), 야옹(고양이), 음모(소), 개굴개굴(개구리), 엉금엉금(거북이), 빵빵(자동차), 칙칙폭폭(기차), 슈웅(비행기) |

| 9 | 나열된 10가지의 사진 중 아이템의 이름을 듣고 변별하기 (총 50가지) |
|---|---|
| 설명 | 10가지의 서로 다른 사진을 책상 위에 올려놓습니다. 부모님이 10가지 사진 중 하나의 이름을 말하면 아이는 3초 이내에 해당하는 사진을 가리키거나 건네줍니다. 50가지 종류의 사진으로 연습합니다. 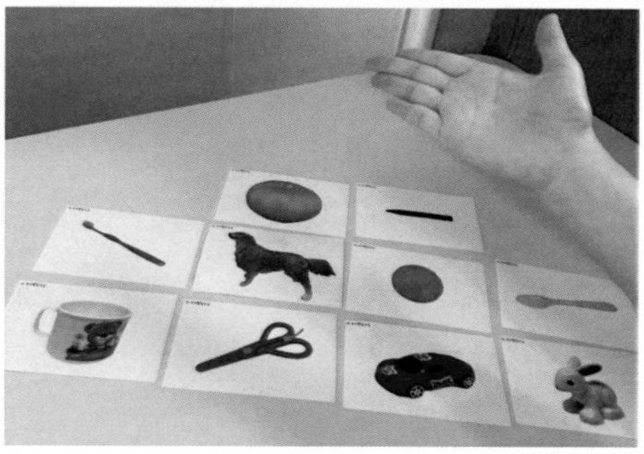 |
| 촉구 | 방법1) 아이의 손을 잡고 부모님에게 사진을 함께 건네줍니다.<br>방법2) 해당하는 사진을 손으로 가리켜 알려줍니다. |
| 자료 | 사진 50장 |
| 아이템 | 바나나, 딸기, 귤, 강아지, 오리, 토끼, 자동차, 기차, 비행기, 버스, 숟가락, 양말, 칫솔, 컵, 블록, 공, 시계, 가위, 색연필, 인형, 가위, 안경, 나무, 우산, 비누방울, 책, 의자, 책상, 빗, 침대, 풍선, 퍼즐, 베개, 이불, 소파, 색종이, 주사기, 청진기, 마스크, 옷걸이, 신호등, 수박, 포도, 사과, 오렌지, 토마토, 당근, 양파, 고구마, 옥수수 |

| 10 | 나열된 5가지 사진 중 기능과 관련된 동작 이름을 듣고 동작사진 변별하기 (총 10가지) |
|---|---|
| 설명 | 5가지의 서로 다른 동작사진을 책상 위에 올려놓습니다. 부모님이 5가지 동작사진 중 하나의 이름을 말하면 아이는 3초 이내에 해당하는 사진을 가리키거나 건네줍니다. 10가지 종류의 사진으로 연습합니다. |
| 촉구 | 방법1) 아이의 손을 잡고 부모님에게 사진을 함께 건네줍니다.<br>방법2) 해당하는 사진을 손으로 가리켜 알려줍니다. |
| 자료 | 사진 10장 |
| 아이템 | 밥먹는?숟가락으로 밥먹는 사진, 물먹는?컵으로 물마시는 사진, 색칠하는?색연필로 색칠하는 사진, 자르는?가위로 자르는 사진, 타는?차를 타는 사진, 입는?옷(티셔츠,바지))을 입는 사진, 자는?침대에서 자는 사진, 손씻는?손을 씻는 사진, 앉는?의자에 앉아있는 사진, 머리빗는?머리 빗는 사진 |

| 11 | 나열된 5가지의 색깔 또는 모양 사진 중 듣고 변별하기 (총 10가지) |
|---|---|
| 설명 | 1) 빨강, 주황, 노랑, 초록, 파랑색 카드 5장을 나열한 뒤 색깔 하나를 말해줍니다. 색 이름을 듣고 아이는 3초 이내에 해당하는 색을 가리키거나 건네줍니다. <br><br>2) 동그라미, 세모, 네모, 별, 하트가 그려진 사진 5장을 나열한 뒤 모양 하나를 말해줍니다. 모양 이름을 듣고 아이는 3초 이내에 해당하는 모양을 가리키거나 건네줍니다. 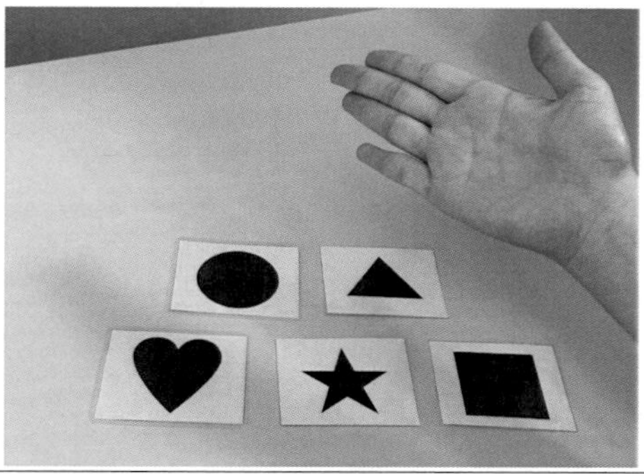 |
| 촉구 | 방법1) 아이의 손을 잡고 부모님에게 사진을 함께 건네줍니다.<br>방법2) 해당하는 사진을 손으로 가리켜 알려줍니다. |
| 자료 | 색깔카드 5장, 모양카드 5장 |
| 아이템 | 빨강, 주황, 노랑, 초록, 파랑 색깔 카드/ 동그라미, 세모, 네모, 별, 하트 모양 카드 |

| 12 | 나열된 5가지의 사진 중 사물의 기능을 듣고 변별하기 (총 10가지) |
|---|---|
| 설명 | 5가지의 서로 다른 사진을 책상 위에 올려놓습니다. 부모님이 5가지 사진 중 하나에 해당하는 기능(ex: 밥 먹는, 물마시는 등)을 말합니다. 아이는 지시를 듣고 3초 이내에 해당하는 사진을 가리키거나 건네줍니다. 10가지 종류의 기능을 연습합니다. 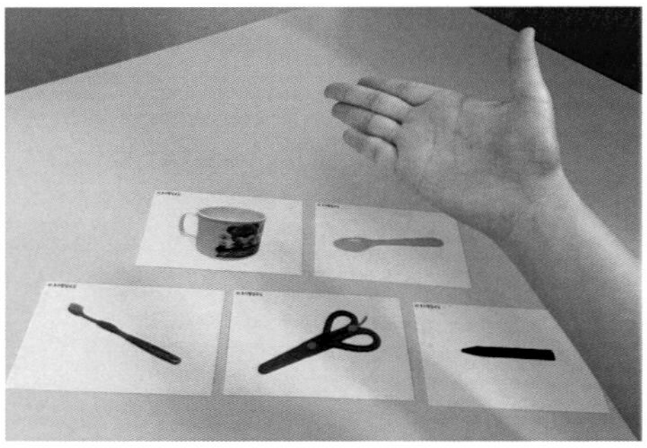 |
| 촉구 | 방법1) 아이의 손을 잡고 부모님에게 사진을 함께 건네줍니다.<br>방법2) 해당하는 사진을 손으로 가리켜 알려줍니다. |
| 자료 | 사진 10장 |
| 아이템 | 밥먹는(숟가락), 물마시는(컵), 색칠하는(색연필), 자르는(가위), 타는(차), 입는(바지), 자는(침대), 손씻는(비누), 앉는(의자), 머리빗는(빗) |

| 13 | 나열된 10가지의 사진 중 아이템의 특징을 듣고 사진 변별하기 (총 10가지) |
|---|---|
| 설명 | 10가지의 서로 다른 사진을 책상 위에 올려놓습니다. 부모님이 10가지 사진 중 하나에 해당하는 특징(ex:동그란 것, 노란 것)을 말합니다. 아이는 지시를 듣고 3초 이내에 해당하는 사진을 가리키거나 건네줍니다. 10가지의 특징으로 연습합니다.  |
| 촉구 | 방법1) 아이의 손을 잡고 부모님에게 사진을 함께 건네줍니다.<br>방법2) 해당하는 사진을 손으로 가리켜 알려줍니다. |
| 자료 | 사진 10장 |
| 아이템 | 빨간? 노란? 파란? 초록? 주황? 동그란, 네모, 세모, 하트? 별? |

| 14 | 나열된 5가지의 사진 중 아이템의 범주를 듣고 사진 변별하기 (총 10가지) |
|---|---|
| 설명 | 5가지의 서로 다른 사진을 책상 위에 올려놓습니다. 부모님이 5가지 사진 중 하나에 해당하는 범주(ex:동물, 탈것 등)를 말합니다. 아이는 지시를 듣고 3초 이내에 해당하는 사진을 가리키거나 건네줍니다. 10가지의 사진으로 연습합니다.  |
| 촉구 | 방법1) 아이의 손을 잡고 부모님에게 사진을 함께 건네줍니다.<br>방법2) 해당하는 사진을 손으로 가리켜 알려줍니다. |
| 자료 | 사진 10장 |
| 아이템 | 동물, 과일, 탈것, 장난감, 옷 |

| 15 | 나열된 2가지의 사진 중 "있다", "없다"를 듣고 변별하기 |
|---|---|
| 설명 | 부모님이 무언가가 그릇에 들어있는 사진, 들어있지 않는 사진을 보여주며 "있다" 또는 "없다"라고 말합니다. 아이는 3초 이내에 해당하는 사진을 찾아 부모님의 손에 건네줍니다.  |
| 촉구 | 방법1) 해당하는 사진을 손으로 가리켜 알려줍니다.<br>방법2) 글자를 아는 아이라면 카드 아래에 글씨를 써놓고 연습하며 익숙해지면 글자를 차차 없앱니다. |
| 자료 | |
| 아이템 | |

| 16 | 나열된 10가지의 사진 중 "무슨", "어떤", "누구"가 포함된 질문을 듣고 변별하기 (총 25가지) |
|---|---|
| 설명 | 10가지의 서로 다른 사진을 책상 위에 올려놓습니다. 부모님이 10가지 사진 중 "00하는 건 뭐야?", "00인건 어떤거야?", "00하는건 누구야?"와 같이 질문합니다. 질문을 듣고 아이는 3초 이내에 해당하는 사진을 가리키거나 건네줍니다. 25가지 종류의 사진으로 연습합니다. |
| 촉구 | 방법1) 아이의 손을 잡고 부모님에게 사진을 함께 건네줍니다.<br>방법2) 해당하는 사진을 손으로 가리켜 알려줍니다. |
| 자료 | 사진 25장 |
| 아이템 | 기차(칙칙폭폭하는 것), 상어(바다에 사는 것), 거울(보는 것), 모자(머리에 쓰는 것), 우산(비올 때 쓰는 것), 비행기(하늘을 나는 것), 호랑이(어흥 우는 것), 사과(빨간 것), 공(던지는 것), 가위(자르는 것), 양말(발에 신는 것), 자전거(타는 것), 수박(과일), 침대(코자는 것), 양(음매 우는 것), 빨대(길쭉한 것), 핸드폰(전화하는 것), 의자(앉는 것), 배(과일), 장갑(손에 끼는 것), 선풍기(바람 부는 것), 기린(목이 긴 것), 가방(어깨에 매는 것), 포도(동그란 것), 변기(쉬하는 것) |

| 17 | 나열된 10가지의 사물 중 2가지를 듣고 변별하여 건네주기 (총 10가지) |
|---|---|
| 설명 | 10가지 물건을 책상 위에 무작위로 올려놓습니다. 부모님이 "00랑 00 줘."라고 말하면 아이는 3초 이내에 부모님이 말한 사물 2가지를 집어 건네줍니다. 5쌍의 10가지 물건으로 연습합니다. |
| 촉구 | 방법1) 아이의 손을 잡고 부모님에게 사물 두 개를 함께 건네줍니다.<br>방법2) 해당하는 사물을 손으로 가리켜 알려줍니다. |
| 자료 | 사물 5쌍(10가지) |
| 아이템 | 칫솔+치약, 양말+신발, 컵+숟가락, 스케치북+색연필, 색종이+가위 |

| 18 | 나열된 5가지의 동작사진 중 동작의 이름을 듣고 변별하기 (총 50가지) |
| --- | --- |
| 설명 | 5가지의 서로 다른 사진을 책상 위에 올려놓습니다. 부모님이 5가지 사진 중 하나에 해당하는 동작 이름(ex: 밥먹어요, 물마셔요 등)을 말합니다. 아이는 지시를 듣고 3초 이내에 해당하는 사진을 가리키거나 건네줍니다. 50가지 종류의 기능을 연습합니다. |
| 촉구 | 방법1) 아이의 손을 잡고 부모님에게 사진을 함께 건네줍니다.<br>방법2) 해당하는 사진을 손으로 가리켜 알려줍니다. |
| 자료 | 사진 50장 |
| 아이템 | 밥먹어요, 물마셔요, 색칠해요, 잘라요, 타요, 입어요, 자요, 손씻어요, 앉아요, 머리빗어요/ 코자요, 안아요, 손잡아요, 치카해요, 세수해요, 뽀뽀해요, 앉아요, 일어나요, 책봐요, 샤워해요, 피아노쳐요/ 버려요, 던져요, 점프해요, 문열어요, 치약 짜요, 박수쳐요, 만세해요, 뛰어요, 전화해요, 요리해요/ 모자써요, 풍선불어, 안경써요, 불켜요, 올라가요, 내려가요, 블록쌓아요, 수영해요, 주사맞아요, 운전해요/ 장갑껴요, 풀칠해요, 가방매요, 노래불러요, 춤춰요, 청소해요, 뚜껑 닫아요, 머리 잘라, 코 닦아, 비행기타요 |

| 19 | 나열된 사진 중 아이템의 이름을 듣고 변별하기 (총 200가지) |
| --- | --- |
| 설명 | 10가지의 서로 다른 사진을 책상 위에 올려놓습니다. 부모님이 10가지 사진 중 하나의 이름을 말하면 아이는 3초 이내에 해당하는 사진을 가리키거나 건네줍니다. 사물, 직업, 장소, 동작, 날씨 등을 포함해 200가지 종류의 사진으로 연습합니다.  |
| 촉구 | 방법1) 아이의 손을 잡고 부모님에게 사진을 함께 건네줍니다.<br>방법2) 해당하는 사진을 손으로 가리켜 알려줍니다. |
| 자료 | 사진 200장 |
| 아이템 | 1) 사물변별<br>2) 동작변별<br>3) 직업변별: 경찰관, 소방관, 요리사, 의사, 간호사, 선생님, 택배기사, 택시기사, 미용사 등<br>4) 장소변별: 경찰서, 소방서, 미용실, 병원, 식당, 화장실, 신발장, 거실, 안방, 주방, 주차장, 수영장, 키즈카페, 공원, 놀이터, 마트, 약국 등<br>5) 날씨변별: 맑음, 흐림, 눈, 비<br>등 포함하여 200가지 |

| 20 | 나열된 6가지 신체 사진 중 신체의 기능을 듣고 변별하기 (총 6가지) |
|---|---|
| 설명 | 6가지 신체가 그려진 사진을 책상에 올려놓습니다. 부모님이 "노래 듣는?"과 같이 말하면 아이는 3초 이내에 해당하는 신체의 사진을 가리키거나 건네줍니다. 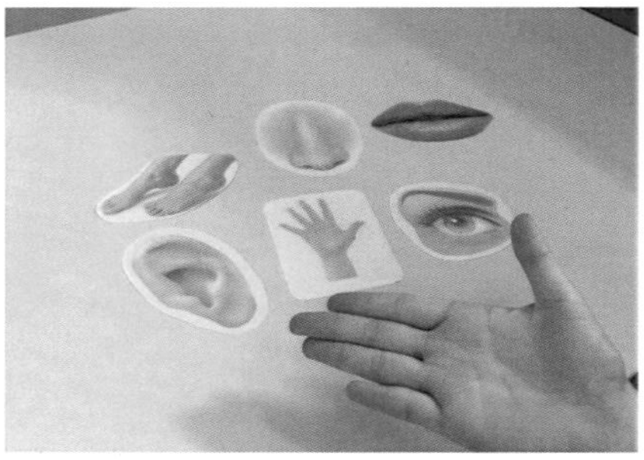 |
| 촉구 | 방법1) 아이의 손을 잡고 부모님에게 사진을 함께 건네줍니다.<br>방법2) 해당하는 사진을 손으로 가리켜 알려줍니다. |
| 자료 | 신체부위가 그려진 사진 |
| 아이템 | 보는? 눈, 노래 듣는? 귀, 냄새 맡는? 코, 먹는? 입, 공 던지는? 손, 뛰는? 발 |

| 21 | 나열된 남자, 여자 두 사진 중 성별을 듣고 변별하기 |
|---|---|
| 설명 | 남자와 여자가 그려진 사진 2장을 책상에 올려놓습니다. 부모님이 "남자" 또는 "여자"라고 말하면 아이는 성별을 듣고 3초 이내에 해당하는 성별의 사진을 가리키거나 건네줍니다. 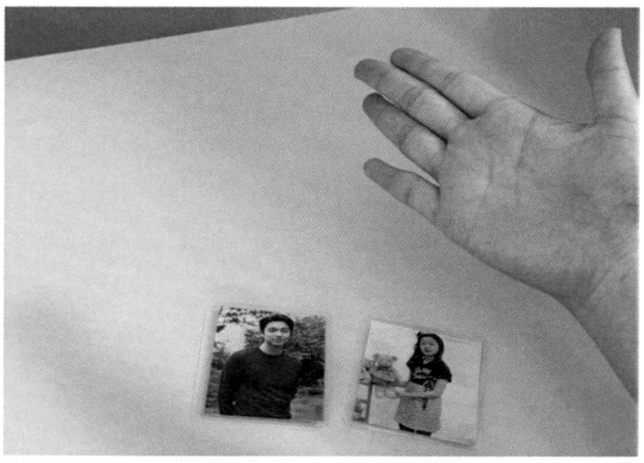 |
| 촉구 | 방법1) 아이의 손을 잡고 부모님에게 사진을 함께 건네줍니다.<br>방법2) 해당하는 사진을 손으로 가리켜 알려줍니다. |
| 자료 | 남자, 여자가 그려진 사진 |
| 아이템 | 다르게 생긴 남자사진 10장, 여자사진 10장 |

| 22 | 나열된 2가지 사진 중 위치를 듣고 변별하기 (총 8가지) |
|---|---|
| 설명 | 부모님이 한 쌍(ex:위,아래)의 사진을 놓고 그중 하나의 위치(ex:“위”)를 말합니다. 아이는 위치를 듣고 3초 이내에 해당하는 위치의 사진을 가리키거나 건네줍니다. |
| 촉구 | 방법1) 아이의 손을 잡고 부모님에게 사진을 함께 건네줍니다.<br>방법2) 해당하는 사진을 손으로 가리켜 알려줍니다. |
| 자료 | 위치를 나타내는 사진 8장 |
| 아이템 | 위, 아래, 안, 밖, 앞, 뒤, 옆, 사이 |

| 23 | 나열된 두 사진 중 "같은 것" 또는 "다른 것"을 듣고 변별하기 |
|---|---|
| 설명 | 생김새가 다른 사진 2장을 책상 위에 올려놓습니다. 나열한 사진 중 하나와 똑같은 사진을 손에 들고 "같은 것 줘" 또는 "다른 것 줘" 라고 말합니다. 아이는 3초 이내에 같은 것 또는 다른 것을 골라 건네줍니다. |
| 촉구 | 방법1) 아이의 손을 잡고 부모님에게 사진을 함께 건네줍니다.<br>방법2) 해당하는 사진을 손으로 가리켜 알려줍니다. |
| 자료 | 똑같은 사진 한쌍 + 다른 사진 1장 |
| 아이템 | 가위, 칫솔, 숟가락, 컵, 공, 블록, 인형 등 |

| 24 | 나열된 4가지 사진 중 감정을 듣고 변별하기 (총 4가지) |
| --- | --- |
| 설명 | 부모님이 4장의 감정 사진을 놓고 그중 하나를 말합니다. 아이는 3초 이내에 해당하는 감정의 사진을 가리키거나 건네줍니다. |
| 촉구 | 방법1) 아이의 손을 잡고 부모님에게 사진을 함께 건네줍니다.<br>방법2) 해당하는 사진을 손으로 가리켜 알려줍니다. |
| 자료 | 감정을 나타내는 사진 4장 |
| 아이템 | 기쁨, 슬픔, 놀람, 화남 |

| 25 | 책을 보며 기능, 특징, 범주를 묻는 2가지 질문을 듣고 변별하기 |
| --- | --- |
| 설명 | 다양한 사물이 그려진 책을 펼쳐놓고 기능, 특징, 범주를 묻는 질문 2가지를 포함하여 질문을 합니다 (ex: 빨갛고 과일인 건 어딨어?(사과), 보라색이고 손에 끼는 것 어딨어?(장갑)). 질문을 듣고 아이는 3초 이내에 해당하는 사물을 가리킵니다. 25가지 종류의 그림으로 연습합니다. |
| 촉구 | 방법1) 아이의 손을 잡고 함께 가리킵니다.<br>방법2) 해당하는 그림을 손으로 가리켜 알려줍니다. |
| 자료 | 다양한 사물이 그려진 책 |
| 아이템 | |

| 26 | 4쌍의 형용사를 듣고 변별하기 (총 8가지) |
| --- | --- |
| 설명 | 한 쌍의 형용사 카드 2장을 책상 위에 올려놓습니다. 부모님이 "00 한 것 어딨어?"라고 질문하면 아이는 3초 이내에 해당하는 사진을 가리키거나 건네줍니다. 4쌍의 형용사 사진으로 연습합니다. |
| 촉구 | 방법1) 아이의 손을 잡고 부모님에게 사진을 함께 건네줍니다.<br>방법2) 해당하는 사진을 손으로 가리켜 알려줍니다. |
| 자료 | 4쌍의 형용사 사진 |
| 아이템 | 크다-작다, 많다-적다, 깨끗하다-더럽다, 길다-짧다 |

| 27 | 나열된 5장의 사진 중 부정의 표현(00가 아닌 것)이 포함된 질문을 듣고 아이템 변별하기 (총 10가지) |
| --- | --- |
| 설명 | 5장의 사진을 책상에 나열합니다. 이 중 4장의 사진은 같은 범주, 1장의 사진은 다른 범주 사진입니다. 부모님은 "00가 아닌 건 뭐야?"라고 질문합니다. 아이는 3초 이내에 다른 범주의 사진을 가리키거나 건네줍니다. 10종류의 사진으로 연습합니다. |
| 촉구 | 방법1) 아이의 손을 잡고 부모님에게 사진을 함께 건네줍니다.<br>방법2) 해당하는 사진을 손으로 가리켜 알려줍니다. |
| 자료 | 10종류의 범주 사진 40장 |
| 아이템 | 동물, 탈 것, 과일, 옷, 채소, 먹는 것, 땅에 있는 것, 하늘에 있는 것, 바다에 있는 것, 동그란 것 |

| 28 | 장소별 기능/사람/물건으로 변별하기 (총 30가지) |
| --- | --- |
| 설명 | 1) 장소별 기능: 5장의 사진을 책상에 나열합니다. 사진들은 특정 장소에서 하는 동작 사진으로 구성되어 있습니다. 부모님은 "OO에선 뭐해?"라고 질문합니다. 아이는 3초 이내에 해당 장소에서 하는 동작을 찾아 건네줍니다.<br>2) 장소별 사람: 나열된 5장의 사진들은 특정 장소에서 일하는 사람 사진으로 구성되어 있습니다. 부모님은 "OO에 있는 사람은 누구야?"라고 질문합니다. 아이는 3초 이내에 해당 장소에서 있는 사람을 찾아 건네줍니다.<br>3) 장소별 물건: 나열된 5장의 사진들은 특정 장소에서 있는 사물 사진으로 구성되어 있습니다. 부모님은 "OO에 있는건 뭐야?"라고 질문합니다. 아이는 3초 이내에 해당 장소에 있는 사물을 찾아 건네줍니다. 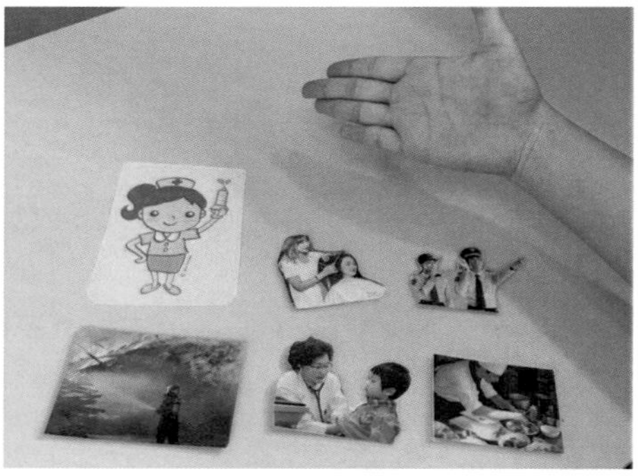 |
| 촉구 | 방법1) 아이의 손을 잡고 부모님에게 사진을 함께 건네줍니다.<br>방법2) 해당하는 사진을 손으로 가리켜 알려줍니다. |
| 자료 | 각각 10가지의 장소별 기능/사람/물건 사진들 (총 30가지) |
| 아이템 | 1) 기능: 미용실(머리자르는사진), 경찰서(출동하는 사진), 식당(밥먹는사진), 화장실(쉬하는사진), 교실(공부하는사진), 병원(주사맞는사진), 키즈카페(놀이하는사진), 엘리베이터(버튼누르는사진), 주차장(차에타는사진), 정류장(버스타는사진)<br>2) 사람: 미용실(미용사), 경찰서(경찰관), 식당(요리사), 교실(선생님), 병원(의사), 버스(버스기사), 경비실(경비아저씨), 소방서(소방관), 마트(점원), 비행기(승무원)<br>3) 물건: 화장실(비누,변기), 미용실(빗), 주방(컵), 교실(색연필), 병원(주사,청진기), 마트(과자), 키즈카페(장난감), 주차장(자동차) |

| 29 | 나열된 2장의 사진 중 원인 또는 결과 찾기 (총 20가지) |
| --- | --- |
| 설명 | 2장의 사진을 책상에 나열합니다. 이중 하나는 부모님이 제시하는 사진의 원인이나 결과 사진입니다.<br>1) 부모님은 원인이 되는 사진을 제시하면서 "왜 이렇게 됐어?"라고 질문합니다. 아이는 3초 이내에 부모님이 제시한 사진의 원인이 되는 사진을 가리키거나 건네줍니다. 10종류의 사진으로 연습합니다.<br>2) 부모님은 결과가 되는 사진을 제시하면서 "이 다음에 어떻게 될까?"라고 질문합니다. 아이는 3초 이내에 부모님이 제시한 사진의 결과가 되는 사진을 가리키거나 건네줍니다. 10종류의 사진으로 연습합니다. 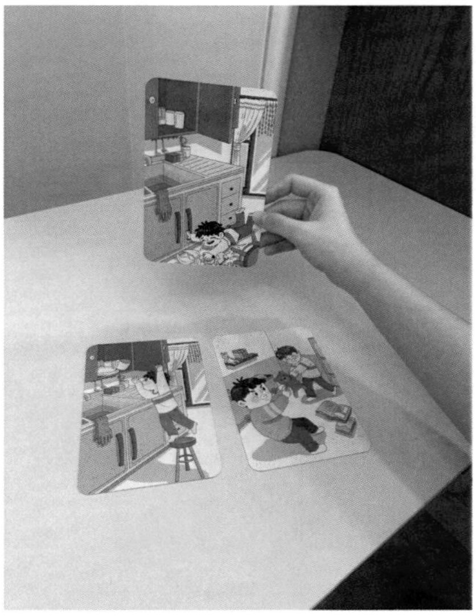 |
| 촉구 | 방법1) 아이의 손을 잡고 부모님에게 사진을 함께 건네줍니다.<br>방법2) 해당하는 사진을 손으로 가리켜 알려줍니다. |
| 자료 | 원인과 결과 사진 20쌍 |
| 아이템 | 의자 위에 올라가서-넘어졌어요 / 쓰레기를 주워서-공원이 깨끗해졌어요 / 인형 팔을 잡아당겨서-인형이 찢어졌어요 / 낚시를 해서-물고기를 잡았어요 / 풀에 물을 줘서-열매가 생겼어요 / 모래놀이를 해서-옷이 더러워졌어요 / 아이스크림을 많이 먹어서-이가 썩었어요 / 뜨거운 냄비를 만져서-손이 데였어요/ 불이나서-소방차가 왔어요 / 손을 씻어서-손이 깨끗해졌어요 |

<table>
<tr><td>30</td><td colspan="2">책이나 자연스러운 환경에서 한 가지 주제에 대해 관련된 질문을 듣고 변별하기</td></tr>
<tr><td>설명</td><td>한 가지 주제에 대한 구체적인 아이템이 포함된 책이나 그림을 준비합니다. 아이에게 한 가지 주제에서 나올 수 있는 다양한 질문들을 하고 그 답을 책에서 찾을 수 있는지 봅니다. 질문을 듣고 아이는 3초 이내에 질문에 해당하는 그림을 가리킵니다. 꼭 단어를 대답하지 않아도 되며 정확히 해당하는 그림을 변별할 수만 있으면 됩니다. 한 가지 주제로 4가지 구체적인 질문에 변별합니다. </td><td></td></tr>
<tr><td>촉구</td><td colspan="2">방법1) 아이의 손을 잡고 부모님이 그림을 함께 가리킵니다.<br>방법2) 해당하는 그림을 손으로 가리켜 알려줍니다.</td></tr>
<tr><td>자료</td><td colspan="2">한 가지 주제에 대해 구체적인 설명과 아이템이 포함된 책이나 그림</td></tr>
<tr><td>아이템</td><td colspan="2">예시 1) 케이크(어디서 사? 빵집, 언제 먹어? 생일파티할 때, 케이크 위에 뭐가 있어? 딸기, 케이크는 맛이 어때? 달콤해)<br>예시 2) 닭(닭은 어디에 살지? 닭장, 닭은 무엇을 낳지? 달걀, 닭은 다리가 몇 개지? 두 개, 달걀에서는 누가 태어나지? 병아리)</td></tr>
</table>

Language Education & Training
for Special Children

# 토리 LETS
# 영역별 가이드북

## [6] 지시따르기

BCBA 전은지
QBA 송지언

• 언어발달을 위한 ABA 프로그램 •
2024 개정판

# 1. 지시 따르기란?

언어발달을 위한 ABA 프로그램에서 '듣기', 즉 청자 행동은 변별과 지시따르기로 구분됩니다. 변별은 단어를 듣고 판단하는 것과 관련이 있고 지시따르기는 듣고 행동으로 직접 표현하는 것과 관련이 있습니다. 예를 들어, 변별 프로그램에서 아이에게 "'물 마셔' 어딨지?"라고 한다면 아동은 여러 장의 사진 중 '물 마시는 사진'을 골라 성인에게 건네줍니다. 반면 지시따르기 프로그램을 진행하며 아이에게 "물 마셔"라고 한다면 아동은 앞에 놓인 컵을 들고 물을 마시는 것처럼 행동해야 합니다. 지난 장에서는 변별 프로그램에 대해 자세히 다루었고, 이번 장은 듣기 행동 중 지시따르기 프로그램에 집중하여 작성하였습니다.

지시따르기 프로그램에서는 아동이 성인으로부터 지시를 듣고 이를 정확하게 "실행"하는 것을 중요시합니다. 즉 아이들은 지시따르기 연습을 하면서 다양한 지시를 받고, 이를 올바르게 실행하는 능력을 기르게 됩니다. 아이가 알고 있는 단어가 많더라도 성인의 지시에 반응하지 않으면 이는 사회적으로 의미 있다고 보기 어렵습니다. 성인의 간단한 지시부터 듣고, 이해하고, 행동하며 반응할 수 있어야 아이는 점차 사회적으로 의미있는 복잡한 행동들도 수행할 수 있습니다. 지시따르기 프로그램을 통해 아이는 아주 간단한 지시부터 듣고 이해하는 것으로 시작해 점차 긴 지시를 듣고, 기억하고, 실행해보며 청각 자극과 자신의 반응이 1:1로 연결된다는 것을 지속적으로 배웁니다.

## 언어발달을 위한 ABA프로그램

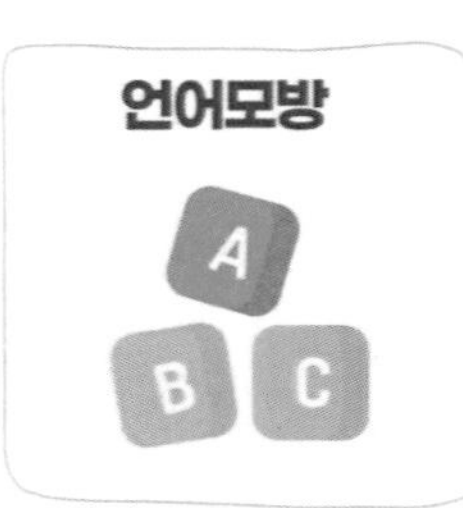

사회에서 우리는 누군가의 지시를 듣고 수행해야 할 일들이 아주 많습니다. 가정에서는 부모님의 지시를 따르고, 유치원이나 학교에서는 선생님의 지시를 따라야하지요. 여러 상황에서 지시를 듣고 따라야하기 때문에 사회에 융화되어 잘 적응해 살아가기 위해서는 다양한 지시를 듣고, 이해하고, 실행하는 능력이 필수적입니다. 상대의 지시를 정확히 이해하고 올바르게 수행하는 것은 대인관계에서 의사소통과 협력을 원활하게 하는 데 큰 역할을 합니다. 다른 사람과 상호작용하며 사회에 적응하기 위한 측면도 있지만 자조기술을 배워야 하거나 안전한 일상생활을 유지하는 데에도 아주 중요한 기술입니다. 따라서 부모님이나 선생님의 지시를 듣고 따르는 연습을 반복한다면 삶에서 필요한 다양한 기술들을 배울 수 있게 됩니다.

ABA 프로그램에서 지시따르기는 이름을 부를 때 눈을 마주치는 것과 아주 간단한 언어적 지시에 반응하는 것부터 시작합니다. 그리고 신체 부위의 이름을 듣고 터치하기, 동작 이름을 듣고 해당 동작 보여주기, 기능이나 범주를 듣고 물건을 가져오기, 다양한 장소의 이름 듣고 해당 장소에 가기, 위치를 듣고 알맞은 곳에 물건 두기, 감정을 듣고 표현 보여주기, 부사를 포함한 지시를 듣고 따르는 것까지 다양한 지시에 따르는 연습을 하게 됩니다. 지시따르기 영역은 30가지의 단계적인 장기목표로 구성되어있고 아동의 수준에 따라 아주 쉬운 것부터 프로그램이 진행됩니다. 변별과 함께 듣기 학습을 반복하면서 수용언어의 발달을 촉진한다면 이후 표현언어도 원활히 발달하게 될 것입니다. 다시 말하면, 듣고 반응하는 행동은 더 높은 단계의 언어발달로 향하는 "키"라고 할 수 있습니다.

# 2. 지시따르기를 위한 장기목표 (30가지)

| 1 | 소리가 나는 쪽으로 돌아보기 | |
|---|---|---|
| 설명 | 자연스러운 환경에서 아이가 소리나는 장난감, 타이머, 엄마의 목소리 등 소리나는 쪽으로 돌아보는지 확인해봅니다. | 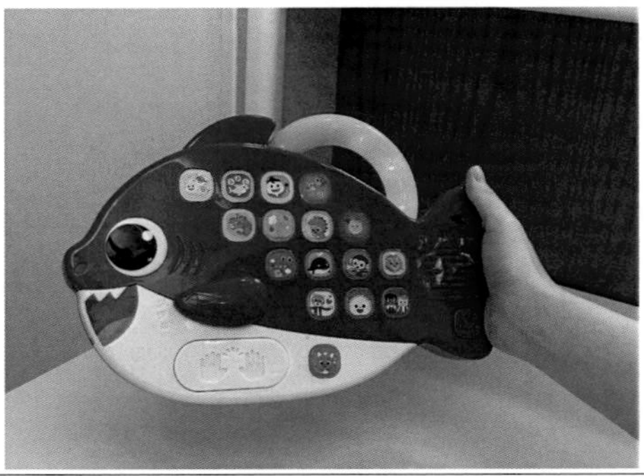 |
| 촉구 | | |
| 자료 | 소리나는 장난감, 타이머 등 | |
| 아이템 | | |

| 2 | 적절한 맥락에서 "안돼, 뜨거워, 잠깐"과 같은 지시에 반응하기 | |
|---|---|---|
| 설명 | 자연스러운 환경에서 아이가 부모님의 “안돼”, “잠깐”과 같은 말에 반응해 행동을 잠시 멈추는지 확인해봅니다. | 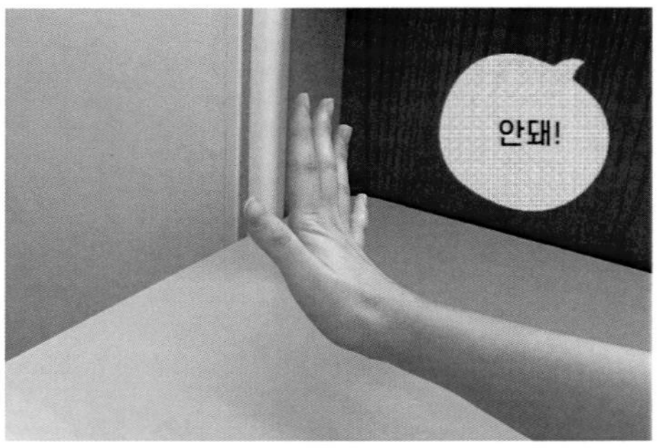 안돼! |
| 촉구 | | |
| 자료 | | |
| 아이템 | | |

<table>
<tr><th>3</th><th colspan="2">성인의 신호에 반응하기</th></tr>
<tr><td>설명</td><td>자연스러운 상황에서 부모님이 “열 세고 올거야!” 또는 “이제 공부하는 시간!”과 같이 이야기했을 때 아이는 3초 이내에 자리로 돌아오며 상황에 적절한 반응을 보여줍니다.</td><td>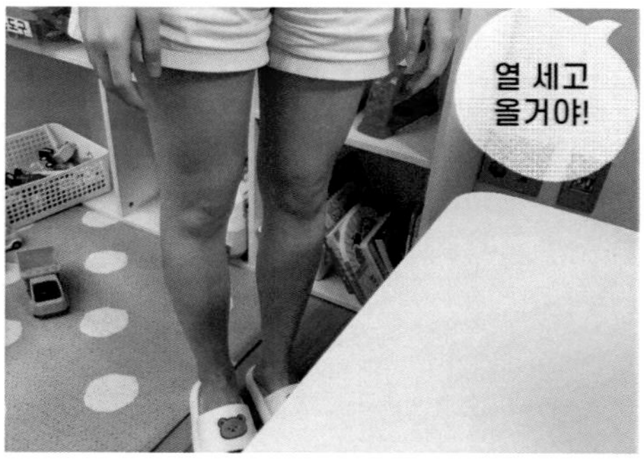
</td></tr>
<tr><td>촉구</td><td colspan="2">아이의 손을 잡거나 몸을 살짝 잡아주며 상황에 적절히 반응하도록 도와줍니다.</td></tr>
<tr><td>자료</td><td colspan="2">성인의 목소리(열까지 세기), 스탑워치</td></tr>
<tr><td>아이템</td><td colspan="2"></td></tr>
</table>

<table>
<tr><th>4</th><th colspan="2">자신의 이름을 듣고 호명에 눈맞춤하기</th></tr>
<tr><td>설명</td><td>부모님이 "OO아."하고 아이의 이름을 부릅니다. 이름을 듣고 3초 이내에 아이는 부모님을 쳐다봅니다.</td><td>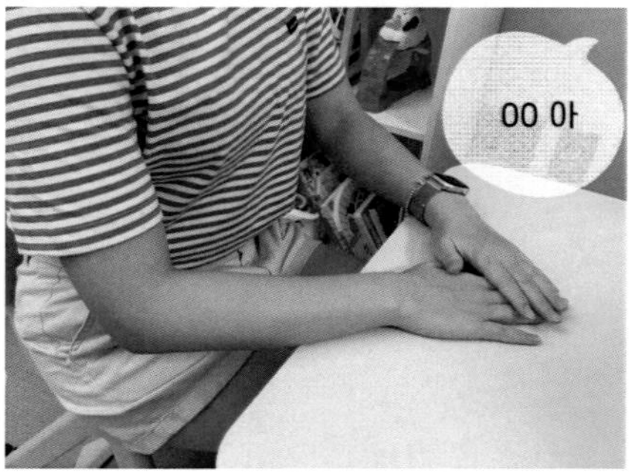
</td></tr>
<tr><td>촉구</td><td colspan="2">방법1) 아이가 좋아하는 물건을 부모님의 눈 쪽에 갖다 대며 시선을 유도합니다.<br>방법2) 아이의 머리를 살짝 잡아주며 검지 손가락으로 부모님의 눈가를 가리켜 시선을 유도합니다.</td></tr>
<tr><td>자료</td><td colspan="2"></td></tr>
<tr><td>아이템</td><td colspan="2"></td></tr>
</table>

| 5 | 동작 이름을 듣고 지시에 따르기(2) | |
|---|---|---|
| 설명 | 부모님이 "만세" 또는 "머리"와 같이 아이에게 동작의 이름을 말합니다. 지시를 듣고 아이는 3초 이내에 해당하는 동작을 보여줍니다. 2가지 종류의 동작 지시따르기를 연습합니다. | 머리 |
| 촉구 | 방법1) 아이의 팔을 살짝 잡아주며 해당 동작을 함께 해봅니다.<br>방법2) 지시를 내리면서 해당 동작을 직접 보여주며 부모님의 동작을 아이가 보고 따라할 수 있게 도와줍니다. | |
| 자료 | | |
| 아이템 | 만세, 머리 | |

| 6 | 동작 이름을 듣고 지시에 따르기(4) | |
|---|---|---|
| 설명 | 부모님이 "만세" 또는 "머리"와 같이 아이에게 동작의 이름을 말합니다. 지시를 듣고 아이는 3초 이내에 해당하는 동작을 보여줍니다. 4가지 종류의 동작 지시따르기를 연습합니다. 5)에서 이미 2가지 종류의 동작 지시따르기를 연습했으므로 2가지 종류의 동작 지시따르기만 추가로 연습하면 됩니다. 다만 연습한 4가지 종류의 지시를 주었을 때 모두 수행할 수 있어야 합니다. | 박수 |
| 촉구 | 방법1) 아이의 팔을 살짝 잡아주며 해당 동작을 함께 해봅니다.<br>방법2) 지시를 내리면서 해당 동작을 직접 보여주며 부모님의 동작을 아이가 보고 따라할 수 있게 도와줍니다. | |
| 자료 | | |
| 아이템 | 만세, 머리, 박수, 구리구리 | |

<table>
<tr><td>7</td><td colspan="2">동작 이름을 듣고 지시에 따르기(6)</td></tr>
<tr><td>설명</td><td>부모님이 "만세" 또는 "머리"와 같이 아이에게 동작의 이름을 말합니다. 지시를 듣고 아이는 3초 이내에 해당하는 동작을 보여줍니다. 6가지 종류의 동작 지시따르기를 연습합니다. 6)에서 이미 4가지 종류의 동작 지시따르기를 연습했으므로 2가지 종류의 동작 지시따르기만 추가로 연습하면 됩니다. 다만 연습한 6가지 종류의 지시를 주었을 때 모두 수행할 수 있어야 합니다.</td><td>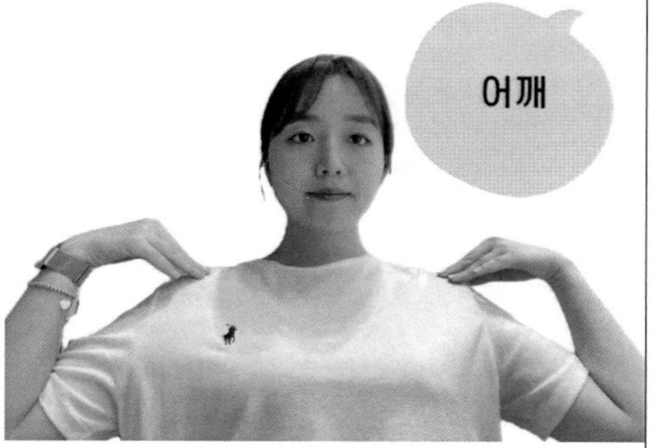
</td></tr>
<tr><td>촉구</td><td colspan="2">방법1) 아이의 팔을 살짝 잡아주며 해당 동작을 함께 해봅니다.<br>방법2) 지시를 내리면서 해당 동작을 직접 보여주며 부모님의 동작을 아이가 보고 따라할 수 있게 도와줍니다.</td></tr>
<tr><td>자료</td><td colspan="2"></td></tr>
<tr><td>아이템</td><td colspan="2">만세, 머리, 박수, 구리구리, 어깨, 준비</td></tr>
</table>

| 8 | 동작 이름을 듣고 지시에 따르기(10) |
|---|---|
| 설명 | 부모님이 "만세" 또는 "머리"와 같이 아이에게 동작의 이름을 말합니다. 지시를 듣고 아이는 3초 이내에 해당하는 동작을 보여줍니다. 10가지 종류의 동작 지시따르기를 연습합니다. 7)에서 이미 6가지 종류의 동작 지시따르기를 연습했으므로 4가지 종류의 동작 지시따르기만 추가로 연습하면 됩니다. 다만 연습한 10가지 종류의 지시를 주었을 때 모두 수행할 수 있어야 합니다. 머리 |
| 촉구 | 방법1) 아이의 팔을 살짝 잡아주며 해당 동작을 함께 해봅니다.<br>방법2) 지시를 내리면서 해당 동작을 직접 보여주며 부모님의 동작을 아이가 보고 따라할 수 있게 도와줍니다. |
| 자료 | |
| 아이템 | 만세, 머리, 박수, 구리구리, 어깨, 준비, 통통통, 예쁜짓, 꽃받침, 안녕 |

| 9 | 동작 이름을 듣고 지시에 따르거나 신체부위를 터치하기(20) |
| --- | --- |
| 설명 | 부모님이 "만세" 또는 "머리"와 같이 아이에게 동작의 이름을 말합니다. 지시를 듣고 아이는 3초 이내에 해당하는 동작을 보여줍니다. 20가지 종류의 동작 지시따르기를 연습합니다. 10)에서 이미 10가지 종류의 동작 지시따르기를 연습했으므로 10가지 종류의 동작 지시 따르기만 추가로 연습하면 됩니다. 다만 연습한 20가지 종류의 지시를 주었을 때 모두 수행할 수 있어야 합니다. |
| 촉구 | 방법1) 아이의 팔을 살짝 잡아주며 해당 동작을 함께 해봅니다.<br>방법2) 지시를 내리면서 해당 동작을 직접 보여주며 부모님의 동작을 아이가 보고 따라할 수 있게 도와줍니다. |
| 자료 | |
| 아이템 | 만세, 머리, 박수, 구리구리, 어깨, 준비, 통통통, 예쁜짓, 꽃받침, 안녕, 사랑해요, 훨훨, 발굴러, 책상 두드려, 코, 무릎, 배, 입, 귀, 발 |

| 10 | 놀이영역에서 물건 이름을 듣고 아이템을 골라 가져오기(10) |
| --- | --- |
| 설명 | 놀이영역에 물건 10개를 나열해두고 그중 하나를 말하며 "00 가져와"라고 지시합니다. 지시를 듣고 아이는 3초 이내에 해당하는 물건을 가져옵니다. 10가지 종류의 사물로 연습합니다. 만약 10가지 중 하나를 골라오는 것을 어려워한다면 5가지 중 하나를 골라 가져오는 것부터 연습하며 점차 늘립니다. 컵 가져와 |
| 촉구 | 방법1) 아이와 해당하는 물건을 함께 잡아 부모님의 손에 건넵니다.<br>방법2) 해당하는 물건을 포인팅하여 알려줍니다. |
| 자료 | 10가지 사물 |
| 아이템 | 숟가락, 양말, 칫솔, 컵, 블록, 공, 시계 가위, 색연필, 인형 |

| 11 | 놀이영역에서 동물소리나 환경음을 듣고 아이템을 골라 가져오기(10) |
| --- | --- |
| 설명 | 놀이영역에 물건 10개를 나열해두고 그중 하나의 소리를 말하며 "00 가져와"라고 지시합니다 (ex: 멍멍 가져와, 빵빵 가져와 등). 지시를 듣고 아이는 3초 이내에 해당하는 물건을 가져옵니다. 10가지 종류의 사물로 연습합니다. 만약 10가지 중 하나를 골라오는 것을 어려워한다면 5가지 중 하나를 골라 가져오는 것부터 연습하며 점차 늘립니다. 꿀꿀 가져와 |
| 촉구 | 방법1) 아이와 해당하는 물건을 함께 잡아 부모님의 손에 건넵니다.<br>방법2) 해당하는 물건을 포인팅하여 알려줍니다. |
| 자료 | 10가지 사물 |
| 아이템 | 멍멍(강아지), 꽥꽥(오리), 깡총깡총(토끼), 야옹(고양이), 음모(소), 개굴개굴(개구리), 엉금엉금(거북이), 빵빵(자동차), 칙칙폭폭(기차), 슈웅(비행기) |

| 12 | 사물없이 동작 시연하기 (10) | |
|---|---|---|
| 설명 | 부모님이 "밥 먹는 거 보여줘, 치카하는 거 보여줘"와 같이 사물없이 동작을 보여달라고 말합니다. 지시를 듣고 아이는 3초 이내에 동작을 보여줍니다. |  치카하는 것 보여줘 |
| 촉구 | 방법1) 아이의 손을 잡고 지시에 맞는 동작을 함께 해봅니다.<br>방법2) 부모님이 직접 지시에 맞는 동작을 보여줍니다. | |
| 자료 | | |
| 아이템 | 밥 먹어, 물 마셔, 공차, 색칠해, 가위 잘라, 머리빗어, 손씻어, 코자, 치카해, 책봐 | |

| 13 | 2단어의 지시에 따르기(30) | |
|---|---|---|
| 설명 | 부모님이 2단어로 구성된 문장으로 지시를 내립니다. 지시를 듣고 아이는 3초 이내에 지시에 맞는 동작을 보여줍니다. 30가지 종류의 2단어 지시를 연습합니다. | 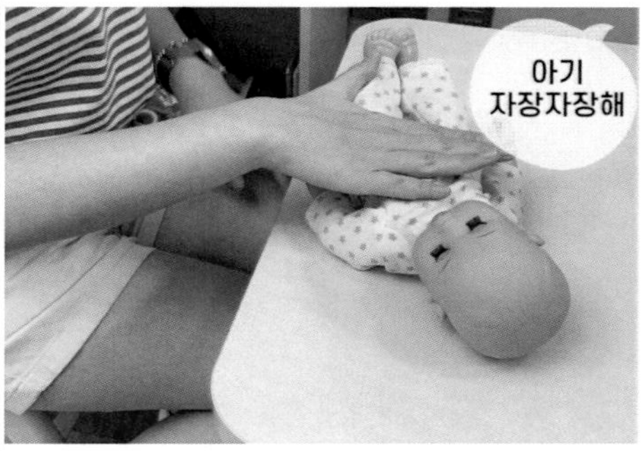 아기 자장자장해 |
| 촉구 | 방법1) 아이의 손을 잡고 지시에 맞는 동작을 함께 해봅니다.<br>방법2) 부모님이 직접 지시에 맞는 동작을 보여줍니다. | |
| 자료 | 30가지 사물 | |
| 아이템 | 미끄럼틀 타, 그네 밀어, 문 열어, 아기 자장자장해, 휴지 버려, 머리 빗어, 오리 뽀뽀해, 뚜껑 닫아, 마스크 써, 당근 잘라, 물고기 잡아, 공 넣어, 주사 맞아, 아기 안아, 시소 타, 자동차 타, 책 펴봐, 비행기 날아, 아기 물마셔, 아기 닦아줘, 창문 닫아, 의자 밀어, 의자 앉아, 책상 두드려, 콩콩 뛰어, 사진 붙여, 안경 써, 블록 쌓아, 풍선 불어, 아이스크림 만들어 | |

| 14 | 놀이영역에서 기능을 듣고 아이템을 골라 가져오기(10) |
|---|---|
| 설명 | 놀이영역에 물건 10개를 나열해두고 그중 하나의 기능을 말하며 "OO하는 것 가져와"라고 지시합니다(ex: 밥 먹는 것 가져와). 지시를 듣고 아이는 3초 이내에 해당하는 물건을 가져옵니다. 10가지 종류의 사물로 연습합니다. 만약 10가지 중 하나를 골라오는 것을 어려워한다면 5가지 중 하나를 골라 가져오는 것부터 연습하며 점차 늘립니다.  |
| 촉구 | 방법1) 아이와 해당하는 물건을 함께 잡아 부모님의 손에 건넵니다.<br>방법2) 해당하는 물건을 포인팅하여 알려줍니다. |
| 자료 | 10가지 사물 |
| 아이템 | 밥먹는?숟가락, 물먹는?컵, 색칠하는?색연필, 자르는?가위, 타는?차, 입는?바지, 치카하는?칫솔, 손씻는?비누, 앉는?의자, 머리빗는?빗 |

| 15 | 놀이영역에서 특징을 듣고 아이템을 골라 가져오기(10) |
|---|---|
| 설명 | 놀이영역에 물건 10개를 나열해두고 그중 하나의 특징을 말하며 "OO 가져와"라고 지시합니다(ex: 노란 것 가져와, 동그란 것 가져와 등). 지시를 듣고 아이는 3초 이내에 해당하는 물건을 가져옵니다. 10가지 종류의 사물로 연습합니다. 만약 10가지 중 하나를 골라오는 것을 어려워한다면 5가지 중 하나를 골라 가져오는 것부터 연습하며 점차 늘립니다.  |
| 촉구 | 방법1) 아이와 해당하는 물건을 함께 잡아 부모님의 손에 건넵니다.<br>방법2) 해당하는 물건을 포인팅하여 알려줍니다. |
| 자료 | 10가지 사물 |
| 아이템 | 빨강, 노랑, 초록, 파랑, 보라, 동그란 것, 세모난 것, 네모난 것, 하트모양, 별모양 |

| 16 | 놀이영역에서 범주를 듣고 아이템을 골라 가져오기(10) |
| --- | --- |
| 설명 | 놀이영역에 물건 10개를 나열해두고 그중 하나의 범주를 말하며 "00 가져와"라고 지시합니다(ex: 동물 가져와, 탈것 가져와 등). 지시를 듣고 아이는 3초 이내에 해당하는 물건을 가져옵니다. 10가지 종류의 사물로 연습합니다. 만약 10가지 중 하나를 골라오는 것을 어려워한다면 5가지 중 하나를 골라 가져오는 것부터 연습하며 점차 늘립니다. (장난감 가져와) |
| 촉구 | 방법1) 아이와 해당하는 물건을 함께 잡아 부모님의 손에 건넵니다.<br>방법2) 해당하는 물건을 포인팅하여 알려줍니다. |
| 자료 | 10가지 사물 |
| 아이템 | 동물, 과일, 탈것, 옷, 장난감 각 2개씩 |

| 17 | 지시를 듣고 3명의 사람에게 가기 |
| --- | --- |
| 설명 | 아이가 의자에 앉아있다면 잠시 일어나게 한 후 "00한테 가"라고 지시합니다. 지시를 듣고 3초 이내에 아이는 해당하는 사람에게 갑니다. 3명의 사람으로 연습합니다. (아빠한테 가) |
| 촉구 | 방법1) 아이의 손을 잡고 해당 사람이 있는 곳으로 함께 갑니다.<br>방법2) 해당 사람을 손가락으로 가리켜 알려줍니다. |
| 자료 | 3명의 사람 |
| 아이템 | 엄마, 아빠, 할머니, 삼촌 등 |

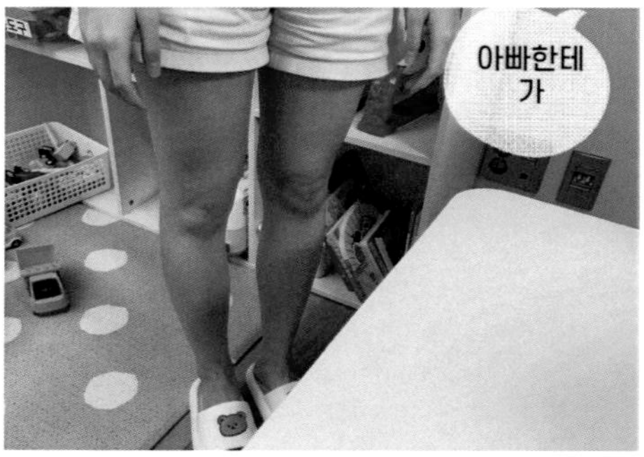

| 18 | 여러 가지 사물과 동사를 섞어 2단어의 지시에 따르기(15) |
| --- | --- |
| 설명 | 부모님이 여러 가지 사물을 책상 위에 올려두고 2단어로 구성된 문장으로 지시를 내립니다. 지시를 듣고 아이는 3초 이내에 지시에 맞는 동작을 보여줍니다. 15가지 종류의 2단어 지시를 연습합니다.  |
| 촉구 | 방법1) 아이의 손을 잡고 지시에 맞는 동작을 함께 해봅니다.<br>방법2) 부모님이 직접 지시에 맞는 동작을 보여줍니다. |
| 자료 | |
| 아이템 | 1) 인형, 베개, 강아지 + 안아, 넣어, 내려줘<br>2) 공, 스카프, 휴지 + 흔들어, 던져, 넣어<br>3) 휴지, 물티슈, 수건 + 닦아, 버려, 흔들어 |

| 19 | 지시를 듣고 3군데의 장소에 가기 |
| --- | --- |
| 설명 | 아이가 의자에 앉아있다면 잠시 일어나게 한 후 "OO에 가"라고 지시합니다. 지시를 듣고 3초 이내에 아이는 해당 장소로 향합니다. 3군데의 장소로 연습합니다.  |
| 촉구 | 방법1) 아이의 손을 잡고 해당 장소로 함께 갑니다.<br>방법2) 해당 장소를 손가락으로 가리켜 알려줍니다. |
| 자료 | 3군데의 장소 |
| 아이템 | 화장실, 부엌, 신발장 |

| 20 | 사물을 제자리에 갖다놓기(10) |
|---|---|
| 설명 | 부모님이 아이에게 물건 하나를 건네주며 "제자리에 갖다놔"라고 지시합니다. 지시를 듣고 아이는 3초 이내에 물건이 원래 있던 장소에 가서 해당 물건을 놓고 옵니다. 10가지 제자리에 갖다 놓는 지시를 연습합니다. |
| 촉구 | 방법1) 아이의 손을 잡고 물건이 원래 있던 장소에 가서 함께 물건을 놓고 돌아옵니다.<br>방법2) 아이에게 "OO에 갖다놔"라고 말하며 물건이 원래 있던 장소를 알려줍니다.<br>방법3) "제자리에 갖다놔"라는 지시를 내리며 동시에 해당 장소를 손가락으로 가리킵니다. |
| 자료 | 장소 5곳, 사물 10개 |
| 아이템 | 칫솔, 비누(화장실) / 슬리퍼, 신발(신발장) / 컵, 숟가락(주방) / 블록, 장난감(놀이상자) / 아이가방(가방장) / 책(책장) |

| 21 | 사물을 특정 장소에 갖다놓기(5가지 장소) |
|---|---|
| 설명 | 부모님이 아이에게 장소와 관련 없는 아무 사물을 하나 건네주며 "OO에 갖다놔"라고 지시합니다. 지시를 듣고 아이는 3초 이내에 사물을 부모님이 말한 장소에 가서 놓고 옵니다. 5가지 장소에 갖다 놓는 지시를 연습합니다. |
| 촉구 | 방법1) 아이의 손을 잡고 부모님이 말한 장소로 가 사물을 함께 놓고 돌아옵니다.<br>방법2) 아이에게 "OO에 갖다놔"라는 지시를 내리며 동시에 해당 장소를 손가락으로 가리킵니다. |
| 자료 | 장소 5곳, 사물 1개(블록, 색연필 등 장소와 관련 없는 사물) |
| 아이템 | 신발장, 화장실, 싱크대, OO이 방, 안방 |

| 22 | 특정 사람에게 특정 사물 갖다주기(10) |
|---|---|
| 설명 | 부모님이 아이에게 특정 사람한테 특정 사물을 갖다주도록 지시합니다. 지시를 듣고 아이는 3초 이내에 특정 사람에게 가서 특정 사물을 갖다줍니다. 10가지 종류의 지시에 따르는 연습을 합니다.  |
| 촉구 | 방법1) 아이의 손을 잡고 지시에 맞는 동작을 함께 해봅니다.<br>방법2) 부모님이 직접 지시에 맞는 동작을 보여줍니다. |
| 자료 | 사람 3명, 사물 4개 |
| 아이템 | 엄마, 아빠, 선생님, 친구 / 블록, 인형, 휴지, 컵 등 |

| 23 | 특정 사람에게 특정 행동하기(10) |
|---|---|
| 설명 | 부모님이 아이에게 특정 사람한테 특정 행동을 하도록 지시합니다. 지시를 듣고 아이는 3초 이내에 특정 사람에게 가서 알맞은 행동을 보여줍니다. 10가지 종류의 지시에 따르는 연습을 합니다.  |
| 촉구 | 방법1) 아이의 손을 잡고 지시에 맞는 동작을 함께 해봅니다.<br>방법2) 부모님이 직접 지시에 맞는 동작을 보여줍니다. |
| 자료 | |
| 아이템 | OO 안아줘, 손잡아줘, 예쁘다해, 인사해, 화이팅해, 토닥토닥해줘, 코 닦아줘, 머리 빗겨줘, 책 보여줘, 과자 먹여줘 |

| 24 | 특정 장소에 가서 특정 아이템을 가져오기(5가지 장소) |
|---|---|
| 설명 | 부모님이 아이에게 "00에 가서 00 가져와"라고 지시합니다. 지시를 듣고 아이는 3초 이내에 부모님이 말한 장소에 가서 특정 사물을 가지고 옵니다. 5가지 장소로부터 사물을 갖고 오는 지시를 연습합니다. 만약 아이가 잘 수행한다면 해당 장소에 가서 2개 중 하나를 골라오는 지시를 내릴 수도 있습니다(ex: 화장실에 칫솔과 치약 나열해 놓고 "화장실에서 칫솔 가져와"라는 지시에 정확히 따르는지 확인).  |
| 촉구 | 방법1) 아이의 손을 잡고 부모님이 말한 장소로 가 사물을 함께 가지고 돌아옵니다.<br>방법2) 아이에게 "00에 가서 00 가져와"라는 지시를 내리며 동시에 해당 장소를 손가락으로 가리킵니다. |
| 자료 | 장소 5곳, 사물 5개 |
| 아이템 | 신발장, 화장실, 싱크대, 00이 방, 안방, 주방 / 치약, 인형, 블록, 칫솔, 컵, 숟가락, 거울 등 |

| 25 | 2단계의 동작 지시에 따르기(10) |
|---|---|
| 설명 | 부모님이 "OO하고, OO해"와 같이 2단계의 동작으로 구성된 지시를 내립니다. 지시를 모두 듣고 아이는 3초 이내에 지시에 맞는 동작 2개를 차례로 보여줍니다. 10가지 종류의 2단계 동작 지시를 연습합니다. 이중 5개는 연관 없는 동작, 5개는 연관된 동작으로 구성합니다. |
| 촉구 | 방법1) 아이의 손을 잡고 지시에 맞는 동작을 함께 해봅니다.<br>방법2) 부모님이 직접 지시에 맞는 동작을 보여줍니다. |
| 자료 | |
| 아이템 | STO 1) (연관x) 만세하고 박수쳐, 머리 만지고 어깨만져, 준비하고 구리구리, 통통통하고 예쁜짓, 훨훨하고 머리만져<br>STO 2) (연관o) 휴지뽑아서 책상닦아, 아기 우유주고 이불덮어줘, 딸기 잘라서 컵에 넣어, 일어나서 슬리퍼 신어, 냄비에 배추넣고 가스레인지에 올려 |

| 26 | 위치가 포함된 지시에 따르기(8) |
|---|---|
| 설명 | 부모님이 아이에게 블록 하나를 주며 "바구니 안에 놔" 또는 "의자 위에 놔"와 같이 위치를 포함하여 지시합니다. 지시를 듣고 아이는 3초 이내에 지시에 맞는 위치에 물건을 놓습니다. 6가지 위치 전치사를 포함한 지시를 연습합니다. |
| 촉구 | 방법1) 아이의 손을 잡고 블록을 함께 해당 위치에 맞게 놓습니다.<br>방법2) 지시에 맞는 위치를 손가락으로 포인팅하여 알려줍니다. |
| 자료 | 바구니, 인형, 의자, 블록 |
| 아이템 | 안, 밖, 앞, 사이, 뒤, 위, 아래, 옆 |

| 27 | 감정의 명칭을 듣고 해당하는 표정 보여주기(4) |
|---|---|
| 설명 | 부모님이 아이에게 "기쁜 표정 해봐" 또는 "화난 표정 해봐"와 같이 감정 표정을 보여주도록 지시합니다. 지시를 듣고 아이는 3초 이내에 감정 명칭에 해당하는 표정을 보여줍니다. 4가지 종류의 감정 표정을 연습합니다. |
| 촉구 | 방법1) 부모님이 지시를 내리며 아이에게 해당하는 표정을 직접 보여줍니다.<br>방법2) 부모님이 지시를 내리며 아이에게 해당하는 표정의 사진을 함께 보여줍니다.<br>방법3) 큰 거울을 앞에 두고 아이와 거울을 보며 함께 표정을 짓습니다. |
| 자료 | |
| 아이템 | 기쁨, 슬픔, 놀람, 화남 |

| 28 | 4쌍의 부사를 포함한 지시에 따르기(8) |
|---|---|
| 설명 | 부모님이 아이에게 "빨리 발굴러" 또는 "낮게 손흔들어"와 같이 부사를 포함하여 지시합니다. 지시를 듣고 아이는 3초 이내에 알맞은 부사를 포함한 동작을 보여줍니다. 4쌍의 부사(8가지)를 포함한 동작 지시를 연습합니다. |
| 촉구 | 방법1) 아이의 손을 잡고 지시에 알맞은 동작을 함께 해봅니다.<br>방법2) 지시를 내리며 해당 동작을 직접 보여줍니다. |
| 자료 | 북, 공 |
| 아이템 | 빨리 발굴러, 천천히 발굴러, 높게 손흔들어, 낮게 손흔들어, 크게 쳐(북), 낮게 쳐, 멀리 던져(공), 가까이 던져 |

| 29 | 교실에서 3가지 사물의 이름을 듣고 가져오기 (10) |
|---|---|
| 설명 | 부모님이 아이 공부방이나 놀이영역에 있는 3가지 이름을 말해주며 가져오도록 지시합니다. 예를 들어, "기린, 자동차, 책 가져와."라고 지시할 수 있습니다. 지시를 듣고 아이는 3초 이내에 3가지 물건을 찾아 부모님의 손에 건네줍니다. 10가지 사물로 연습합니다. |
| 촉구 | 방법1) 아이의 손을 잡고 해당하는 물건들을 가져와 부모님의 손에 함께 건네줍니다.<br>방법2) 말했던 3가지 사물을 하나씩 손가락으로 가리킵니다. |
| 자료 | 3가지 사물 |
| 아이템 | 인형, 블록, 컵, 강아지, 색연필, 오리, 양말, 칫솔, 숟가락, 시계, 책, 자동차, 기린 등 |

| 30 | 3단계의 동작 지시에 따르기(10) |
| --- | --- |
| 설명 | 부모님이 "00하고, 00하고, 00해"와 같이 3단계의 동작으로 구성된 지시를 내립니다. 지시를 모두 듣고 아이는 3초 이내에 지시에 맞는 동작 3개를 차례로 보여줍니다. 10가지 종류의 3단계 동작 지시를 연습합니다. 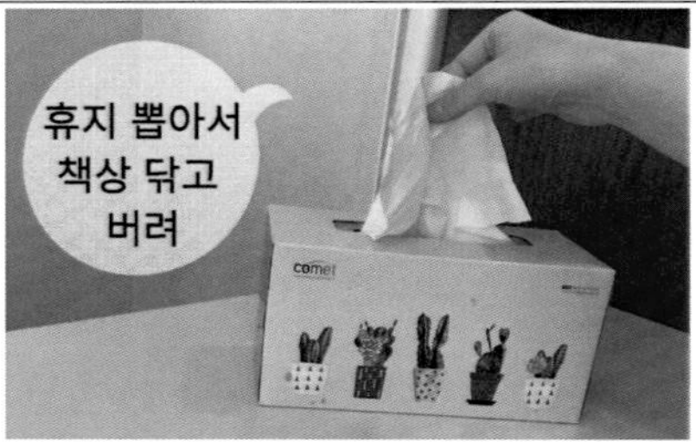 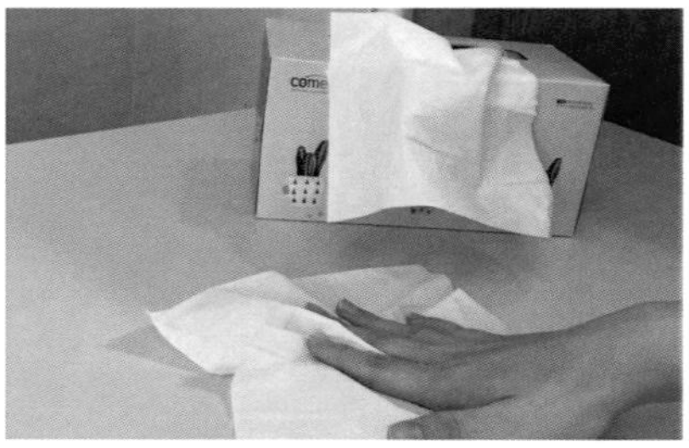  |
| 촉구 | 방법1) 아이의 손을 잡고 지시에 맞는 동작을 함께 해봅니다.<br>방법2) 부모님이 직접 지시에 맞는 동작을 보여줍니다. |
| 자료 | |
| 아이템 | 휴지 뽑아서 책상 닦고 버려, 아기 우유주고 이불덮고 토닥토닥해줘, 딸기 잘라서 컵에 넣고 마셔, 일어나서 슬리퍼 신고 걸어, 냄비에 배추넣고 가스레인지에 올리고 숟가락으로 저어, 가방 열어서 과자 꺼내고 닫아, 뚜껑 열어서 색연필 꺼내고 색칠해, 스카프 흔들고 상자에 넣고 닫아, 클레이 꺼내서 밀고 강아지 찍어, 색종이 잘라서 그릇에 담고 엄마한테 줘 등 |

Language Education & Training
for Special Children

# 토리 LETS
# 영역별 가이드북

## [7] 요구하기

BCBA 전은지
QBA 송지언

• 언어발달을 위한 ABA 프로그램 •

2024 개정판

# 1. 요구하기란?

언어행동분석에서 요구하기(MAND)는 주어진 환경에서 아이에게 직접적인 혜택을 주는 언어행동입니다. 따라서 인간이 가장 먼저 습득하는 언어행동이면서 가장 중요한 언어행동입니다. 아직 말을 하지 못하더라도 아이는 원하는 것을 쳐다보고, 소리를 내고, 가리키는 등 자신의 욕구를 충족하기 위해 무언가 요구하는 표현을 지속합니다.

ABA의 원리인 <선행사건 - 행동 - 결과>에 따라 요구하기를 설명하자면, 배가 고파 무언가 먹고싶은 동기를 갖고 있는 아이가 우연히 발견한 고래밥은 '선행사건'이 됩니다. 고래밥을 본 뒤 아이가 고래밥을 가리키거나, '고래밥'이라고 말을 했다면 이는 요구하는 언어적 '행동'을 한 것입니다. 아이의 언어행동 직후 성인이 아이에게 고래밥을 제공했다면 이 '결과'로 인해 아이의 요구하는 언어행동은 점차 강화됩니다. 이 일련의 과정을 통해 아이는 무언가 가리키거나 언어로 표현을 하면 자신이 원하는 것을 얻을 수 있다는 것을 배우게 됩니다.

## 언어발달을 위한 ABA프로그램

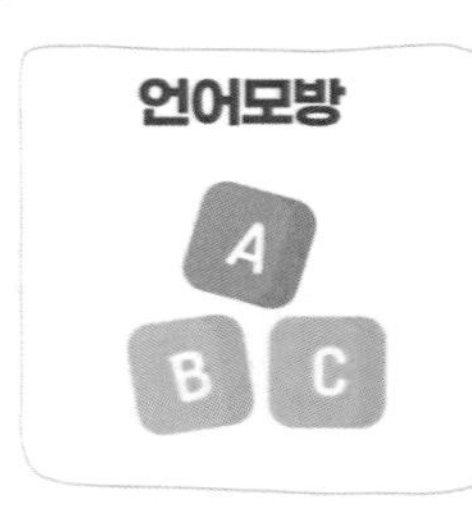

아이가 원활하게 요구표현을 할 수 있도록 연습하기 위해선 아동이 현재 갖고 싶은 욕구가 강한 아이템을 선택해야 합니다. 이때 아이템은 아이가 좋아하는 과자, 재미있는 활동, 스킨십, 놀잇감 등 다양한 종류로 준비하면 좋습니다. 아이가 좋아하는 사물이나 활동을 선정했다면 아이의 수준에서 이 사물을 요구하는 표현들을 목표로 정합니다. 만약 아직 발화하지 않는 아이라면 '포인팅'하는 손가락으로 요구하는 것을 목표로 잡을 수 있고, 1음절짜리 모음만 따라 말할 수 있는 아이라면 고래밥을 [오]라고 표현하도록 목표를 잡을 수 있습니다. 혹은 2단어 따라 말하기까지 원활하게 가능한 아이라면 '고래밥 먹을래.'와 같은 문장을 목표로 정할 수 있습니다.

만약 아이에게 너무 높은 목표를 설정하면 아이는 아이템을 요구할 때 스트레스와 좌절을 경험하기 때문에 언어표현을 배우기 꺼리게 될 수 있습니다. 따라서 처음엔 목표 수준을 낮추어 무언가를 표현하면 원하는 것을 얻을 수 있다는 과정을 반복해 학습하면서 언어표현에 즐거움을 느낄 수 있도록 해주어야 합니다.

요구하기 프로그램의 핵심 요소를 정리하면 다음과 같습니다.
첫째, 동기부여입니다. 가정에서 아이에게 ABA를 한다면 아이가 현재 원하고 있는 사물이나 활동을 알아내는 것이 중요합니다.
둘째, 요구표현 가르치기입니다. 요구표현은 쳐다보는 것, 가리키는 것에서부터 시작해 단어, 문장을 사용하는 것까지 다양한 단계로 진행될 수 있습니다.
셋째, 강화입니다. 아이가 원하는 것을 올바르게 요구했을 때, 즉시 그것을 제공함으로써 아동의 바람직한 요구 행동을 강화합니다.
넷째, 일반화입니다. 엄마와 가정에서 배운 요구표현을 어린이집에서 선생님과, 마트에서 할머니와 해보는 등 다양한 상황에서, 다양한 사람들과 적용하도록 가르칩니다.

이러한 과정을 학습하면 아동은 원하는 것을 얻기 위해 자신의 의견과 필요를 주변 사람들에게 전달하는 능력을 갖추게 됩니다. 만약 바람직한 요구표현을 적절히 배우지 못하면 아이는 떼쓰고, 공격적인 행동을 하고, 심하면 자해를 하는 등의 문제행동이 나타날 수 있습니다. 원하는 것을 표현하고 얻는 경험들을 통해 적절하게 자신의 감정과 요구를 표현하는 것을 배움으로써, 아이는 자신감을 향상할 수 있고 부모님이나 선생님과의 관계도 개선할 수 있습니다. 일상에서 자신의 필요를 충족하면서 아이의 삶의 질도 자연스레 좋아지게 됩니다.

아이에게 요구하기를 가르칠 때에는 최대한 아이가 자발적으로 요구할 수 있도록 다양한 '상황'을 만들어 주는 것이 중요합니다. 아이가 원하는 사물이나 활동을 미리 준비해 아이 수준에 맞는 '요구표현'을 꼭 하고 원하는 것을 얻도록 만들어 주는 것입니다. ABA에서 요구하기 프로그램은 눈맞춤이나 포인팅으로 요구하는 것에서 시작해 음성으로 요구하기, 2단어로 요구하기 등 단계적으로 진행됩니다. 무언가 사물이나 활동을 요구하는 것 이외에 정보를 물어보는 것이나 하지 않겠다고 거절하는 것도 모두 요구하기 프로그램에 포함됩니다. 30가지의 단계적인 장기목표로 구성되어 있으며 아이의 수준에 따라 가장 기본적인 것부터 수행하게 됩니다.

# 2. 요구하기를 위한 장기목표(30가지)

| 1 | 강화제에 손 뻗기 |
|---|---|
| 설명 | 자연스러운 상황에서 원하는 물건에 손을 뻗을 수 있는지 확인합니다. 아이는 책상에 놓여있거나 성인이 들고 있는 물건에 손을 뻗습니다. |
| 촉구 | 방법1) 강화제를 아이 손 근처에 놓습니다.<br>방법2) 아이의 손을 잡고 강화제에 손이나 팔을 뻗어봅니다. |
| 자료 | 아이가 좋아하는 물건 |
| 아이템 | |

| 2 | 눈맞춤으로 요구하기 |
|---|---|
| 설명 | 자연스러운 상황에서 아이가 무언가를 원할 때 성인에게 눈을 맞추어 요구할 수 있는지 확인합니다. |
| 촉구 | 아이가 강화제만 쳐다보고 눈맞춤을 하지 않는다면 강화제를 성인의 눈 쪽에 갖다대며 눈맞춤합니다. |
| 자료 | 아이가 좋아하는 물건 |
| 아이템 | |

| 3 | 성인을 잡아당겨 요구하기 |
|---|---|
| 설명 | 자연스러운 상황에서 아이가 무언가를 원할 때 성인을 잡아당길 수 있는지 확인합니다. |
| 촉구 | 아이 손으로 성인을 잡아당길 수 있도록 도와줍니다. |
| 자료 | 아이가 좋아하는 물건 |
| 아이템 | |

| 4 | 포인팅으로 요구하기 |
|---|---|
| 설명 | 아이가 원하는 사물을 성인이 들고 있거나 아이의 손에 닿지 않는 곳에 있을 때 아이는 사물을 검지 손가락으로 포인팅하여 가리키며 요구합니다. |
| 촉구 | 방법1) 포인팅 동작을 직접 보여주고 따라하도록 합니다.<br>방법2) 아이의 손을 잡아 직접 포인팅하는 손가락을 만들어줍니다. |
| 자료 | 아이가 좋아하는 물건 |
| 아이템 | |

| 5 | 어떤 음성으로든 요구하기 |
|---|---|
| 설명 | 아이가 원하는 사물을 성인이 들고 있거나 아이의 손에 닿지 않는 곳에 있을 때 아이는 사물을 포인팅하며 '음', '아', '이' 등 어떤 음성이든 내며 사물에 대한 요구를 표현합니다. |
| 촉구 | 방법1) 처음엔 사물을 포인팅한 뒤 10초 이내에 우연히 음성이 나오면 강화제를 줍니다. 이후 7초, 5초, 3초 이내에 포인팅한 뒤 음성이 나오면 강화제를 주며, 음성이 나오면 강화제를 주는 시간을 점차 줄입니다.<br>방법2) 아이가 소리를 내는 것을 즉시 따라할 수 있으면 소리를 따라서 내도록 하고 원하는 강화제를 즉시 제공합니다. |
| 자료 | 아이가 좋아하는 물건 |
| 아이템 | |

| 6 | 고개를 끄덕이거나 젓기 |
|---|---|
| 설명 | 아이가 원하는 사물 또는 활동이 있거나, 원하지 않는 사물 또는 활동이 있을 때 구분하여 고개를 끄덕이거나 저음으로서 표현하도록 가르쳐줍니다. 예를 들어, 과자를 먹고 싶어하는 아이라면, '과자 먹을래?' 물어보며 제시한 뒤 끄덕이는 것을 알려주고, '휴지 줄까?' 물어보며 제시한 뒤 고개 젓는 것을 알려줍니다. |
| 촉구 | 고개를 살짝 잡고 끄덕이거나 저을 수 있도록 신체적으로 도와줍니다. |
| 자료 | 아이가 원하는 물건과 원하지 않는 물건 |
| 아이템 | |

| 7 | 원하는 것이 있을 때 성인의 신체 두드리기 |
|---|---|
| 설명 | 아이가 원하는 사물이 있을 때 성인의 신체를 두드려 시선을 유도하도록 알려줍니다. 예를 들어, 성인이 아이가 좋아하는 과자를 들고 다른 곳을 보고 있을 때 성인을 톡톡친 뒤 과자를 포인팅하여 요구하도록 알려줍니다. |
| 촉구 | 아이의 손을 잡고 성인을 톡톡 치도록 신체적으로 도와줍니다. |
| 자료 | 아이가 좋아하는 물건 |
| 아이템 | |

| 8 | 자발적으로 음성을 내어 요구하기(4가지) |
|---|---|
| 설명 | 아이가 원하는 사물을 성인이 들고 있거나 아이의 손에 닿지 않는 곳에 있을 때, 아이는 사물을 포인팅하고 이름을 말하며 사물에 대한 요구를 표현합니다. 이때 사물의 이름은 아이가 따라 말할 수 있는 범주로 제한합니다. 예를 들어, 1음절만 따라 말할 수 있다면 '뽀로로'를 가리킬 때 '뽀'라는 음성을 함께 말하도록 가르쳐주고, 모음만 따라말할 수 있다면 '오'라는 음성을 함께 말하도록 가르쳐줄 수 있습니다. 총 4가지의 물건에 대해 각각 정해진 소리로 요구하는 연습을 합니다. |
| 촉구 | 사물의 이름을 따라 말하게 합니다. |
| 자료 | 아이가 좋아하는 물건 |
| 아이템 | 과자[까까], 뽀로로, 딸기, 버스 등 |

| 9 | 자발적으로 음성을 내어 요구하기(6가지) |
|---|---|
| 설명 | 아이가 원하는 사물을 성인이 들고 있거나 아이의 손에 닿지 않는 곳에 있을 때, 아이는 사물을 포인팅하고 이름을 말하며 사물에 대한 요구를 표현합니다. 이때 사물의 이름은 아이가 따라 말할 수 있는 범주로 제한합니다. 예를 들어, 1음절만 따라 말할 수 있다면 '뽀로로'를 가리킬 때 '뽀'라는 음성을 함께 말하도록 가르쳐주고, 모음만 따라 말할 수 있다면 '오'라는 음성을 함께 말하도록 가르쳐줄 수 있습니다. 총 6가지의 물건에 대해 음성을 내어 요구하는 연습을 합니다. 6)에서 이미 4가지의 요구표현을 배웠으므로 2가지만 더 연습하면 됩니다. 다만 6가지 사물을 제시했을 때 연습한 정해진 음성을 모두 낼 수 있어야 합니다. |
| 촉구 | 사물의 이름을 따라 말하게 합니다. |
| 자료 | 아이가 좋아하는 물건 |
| 아이템 | 과자[까까], 뽀로로, 딸기, 버스, 우유, 핑크퐁 등 |

| 10 | 자발적으로 음성을 내어 요구하기(10가지) |
|---|---|
| 설명 | 아이가 원하는 사물을 성인이 들고 있거나 아이의 손에 닿지 않는 곳에 있을 때, 아이가 사물에 대한 요구를 자발적으로 표현합니다. 이때 사물의 이름은 아이가 따라 말할 수 있는 범주로 제한합니다. 예를 들어, 1음절만 따라 말할 수 있다면 '뽀로로'를 가리킬 때 '뽀'라는 음성을 함께 말하도록 가르쳐주고, 모음만 따라 말할 수 있다면 '오'라는 음성을 함께 말하도록 가르쳐줄 수 있습니다. 총 10가지의 물건에 대해 음성을 내어 요구하는 연습을 합니다. 7)에서 이미 6가지의 요구표현을 배웠으므로 4가지만 더 연습하면 됩니다. 다만 10가지 사물을 제시했을 때 연습한 음성을 모두 낼 수 있어야 합니다. |
| 촉구 | 사물의 이름을 따라 말하게 합니다. |
| 자료 | 아이가 좋아하는 물건 |
| 아이템 | 과자[까까], 뽀로로, 딸기, 버스, 우유, 핑크퐁, 그네, 시소, 미끄럼틀, 안아 등 |

| 11 | 타인에게 행동 요구하기(5가지) |
|---|---|
| 설명 | 아이가 성인이 자신에게 어떠한 행동을 해주길 원할 때 아이는 행동에 대한 요구를 표현합니다. 이때 그 행동의 이름은 아이가 따라 말할 수 있는 범주로 제한합니다. 예를 들어, 1단어만 따라 말할 수 있다면 성인이 안아주기 원할 때 '안아줘'라고 말하도록 가르쳐주거나, 뚜껑을 열어주길 원할 때 '열어줘'라고 말하도록 가르쳐줄 수 있습니다. |
| 촉구 | 아이가 성인이 해주길 원하는 행동의 이름을 따라 말하게 합니다. |
| 자료 | 아이가 성인이 해주길 원하는 행동 |
| 아이템 | 안아, 열어, 내려, 잘라, 비켜, 밀어 등 |

| 12 | 자발적으로 음성을 내어 요구하기(20가지) |
|---|---|
| 설명 | 아이가 원하는 사물을 성인이 들고 있거나 아이의 손에 닿지 않는 곳에 있을 때, 아이가 사물에 대한 요구를 표현합니다. 이때 사물의 이름은 아이가 따라 말할 수 있는 범주로 제한합니다. 예를 들어, 1음절만 따라 말할 수 있다면 '뽀로로'를 가리킬 때 '뽀'라는 음성을 함께 말하도록 가르쳐주고, 모음만 따라 말할 수 있다면 '오'라는 음성을 함께 말하도록 가르쳐줄 수 있습니다. 총 20가지의 물건에 대해 음성을 내어 요구하는 연습을 합니다. 10)에서 이미 10가지의 요구표현을 배웠으므로 10가지만 더 연습하면 됩니다. 다만 20가지 사물을 제시했을 때 연습한 음성을 모두 낼 수 있어야 합니다. |
| 촉구 | 사물의 이름을 따라 말하게 합니다. |
| 자료 | 아이가 좋아하는 음식, 물건, 활동 |
| 아이템 | 과자[까까], 뽀로로, 딸기, 버스, 우유, 핑크퐁, 책, 그네, 시소, 미끄럼틀, 안기, 트램플린, 콩콩이 타기, 그네타기, 종이 자르기, 색칠하기 등 |

| 13 | 도움, 거절, 반복의 요구 표현하기 |
| --- | --- |
| 설명 | 자연스러운 상황에서 아이가 성인이 도와주길 원하는 행동이 있거나 하고 싶지 않은 활동이 있을 때 도움 또는 거절의 표현을 하도록 가르쳐줍니다. 예를 들어, 서랍 안에 든 놀잇감을 꺼내주길 원할 때 성인에게 '도와줘'라고 도움을 청하거나, 자리에 앉기 싫어할 때 '아니'라고 거절하는 표현을 가르쳐줄 수 있습니다. 또는 한 번 더 하고 싶은 활동이 있을 때 '또 해줘' 와 같이 표현하도록 가르쳐줍니다. |
| 촉구 | 간단한 도움, 거절, 반복 표현을 따라 말하게 합니다. |
| 자료 | 성인이 도와주길 원하는 행동, 하고 싶지 않은 물건이나 활동, 더 하고 싶은 활동 |
| 아이템 | 도와줘, 싫어, 아니야, 또 해줘, 또 볼래 등 |

| 14 | 사물의 짝 요구하기 (10가지) |
| --- | --- |
| 설명 | 활동을 하며 필요한 사물의 짝을 요구하도록 알려줍니다. 예를 들어, 스케치북만 아이에게 주고 "색칠해봐"라고 이야기하면 아이는 "색연필 주세요"와 같이 사물의 적절한 짝을 요구해야 합니다. 5가지 쌍의 사물 짝을 요구하는 연습을 합니다. |
| 촉구 | 적절한 사물의 짝을 요구하는 표현을 따라 말하게 합니다. |
| 자료 | 5쌍의 사물 짝 |
| 아이템 | 물감-붓, 스케치북-색연필, 종이-가위, 종이-풀, 북-북채, 과일모형-칼 등 |

| 15 | 2단어로 요구하기 |
| --- | --- |
| 설명 | 자연스러운 상황에서 아이가 원하는 사물이 있거나 성인이 도와주길 바라는 행동이 있을 때 2단어 이상으로 요구하도록 가르쳐줍니다. 예를 들어, 서랍 안에 든 과자를 꺼내주길 원할 때 성인에게 '과자 꺼내줘'라고 도움을 청하거나, 뚜껑을 열어주길 원할 때 '뚜껑 열어줘'라고 요구하도록 가르칩니다. 2단어 이상으로 요구하는 표현을 배우기 위해선 2단어 이상을 따라 말하는 것이 가능해야 합니다. |
| 촉구 | 성인이 해주길 원하는 2단어 이상의 행동을 따라 말하게 합니다. |
| 자료 | 아이가 좋아하는 물건이나 활동 |
| 아이템 | 과자 꺼내줘, 뚜껑 열어줘, 물 마실래 등 |

| 16 | '네' 또는 '아니' 표현하기 |
| --- | --- |
| 설명 | 아이가 원하는 사물 또는 활동이 있거나, 원하지 않는 사물 또는 활동이 있을 때 구분하여 '네' 또는 '아니' 표현을 하도록 가르쳐줍니다. 예를 들어, 과자를 먹고 싶어하는 아이라면, '과자 먹을래?' 물어본 뒤 '네'라고 대답하는 것을 알려주고, '휴지 줄까?' 물어본 뒤 '아니'라고 대답하는 것을 알려줍니다. |
| 촉구 | 원하는 물건을 제시한 뒤 '00 할래?'라고 물어보고 '네'라고 따라 말하게 하고, 원하지 않는 물건을 제시한 뒤 '00 할래?'라고 물어보고 '아니'라고 따라 말하게 합니다. |
| 자료 | 아이가 원하는 물건과 원하지 않는 물건 |
| 아이템 | |

| 17 | 허락 구하는 표현하기 |
| --- | --- |
| 설명 | 아이가 원하는 활동이나 물건이 있을 때 정중하게 허락을 구하는 표현을 하도록 알려줍니다. 예를 들어, 성인과 공부하다가 놀러가고 싶다면 "놀아도 돼요?", 먹고 싶은 과자가 있다면 "먹어도 돼요?", 게임을 하고 싶다면 "게임해도 돼요?"와 같이 물어보는 표현을 알려주고 적절히 표현했을 때 잘 물어보았다고 칭찬해주며 원하는 것을 들어줍니다. |
| 촉구 | 원하는 사물이나 활동을 포함한 허락 구하기 표현을 따라말하게 합니다. |
| 자료 | 아이가 좋아하는 물건이나 활동 |
| 아이템 | 놀아도 돼요? 먹어도 돼요? 게임해도 돼요? 등 |

| 18 | 모르는 것에 대해 '몰라요' 표현하기 |
| --- | --- |
| 설명 | 아이가 잘 아는 물건을 3개 정도 보여주며 차례로 말하게 한 뒤 4번째 물건은 아이가 잘 모르는 물건을 제시합니다. 아이가 4번째 물건을 보고 이름을 말할 때 망설인다면 '몰라요'라고 표현하도록 가르쳐줍니다. 아이가 '몰라요'라고 표현했다면 잘 이야기했다고 칭찬해주며 물건의 이름을 알려줍니다. |
| 촉구 | '몰라요'라고 따라 말하게 합니다. |
| 자료 | 아이가 이름을 잘 아는 물건, 잘 모르는 물건(접착제, 스테이플러, 영양제 등 아이가 이름을 모를 만한 사물들) |
| 아이템 | |

| 19 | '무엇'을 포함해 질문하기 |
| --- | --- |
| 설명 | 아이가 잘 아는 물건을 3개 정도 보여주며 차례로 말하게 한 뒤 4번째 물건은 아이가 잘 모르는 물건을 제시합니다. 아이가 4번째 물건을 보고 이름을 말할 때 망설인다면 '이게 뭐야?'라고 물어보도록 가르쳐줍니다. 아이가 '이게 뭐야?'라고 물어보았다면 잘 물어보았다고 칭찬해주며 물건의 이름을 알려줍니다. |
| 촉구 | '이게 뭐야?'라고 따라 말하게 합니다. |
| 자료 | 아이가 이름을 잘 아는 물건, 잘 모르는 물건(접착제, 스테이플러, 영양제 등 아이가 이름을 모를 만한 사물들) |
| 아이템 | 이게 뭐야?, 이게 뭐예요?, 이건 무슨 소리야? 이건 무슨 냄새야? 등 |

| 20 | '누구'를 포함해 질문하기 |
| --- | --- |
| 설명 | 아이가 잘 아는 캐릭터 사진을 3개 정도 보여주며 차례로 말하게 한 뒤 4번째 사진은 아이가 잘 모르는 캐릭터를 제시합니다. 아이가 4번째 사진을 보고 캐릭터 이름을 말할 때 망설인다면 '누구야?'라고 물어보도록 가르쳐줍니다. 아이가 '누구야?'라고 물어보았다면 잘 물어보았다고 칭찬해주며 캐릭터의 이름을 알려줍니다. |
| 촉구 | '누구야?'라고 따라 말하게 합니다. |
| 자료 | 아이가 잘 아는 사람이나 캐릭터 사진(엄마, 아빠, 뽀로로, 핑크퐁), 잘 모르는 사람이나 캐릭터 사진(스폰지밥, 엘모, 캡틴아메리카 등) |
| 아이템 | 누구예요? 누구야? 누구지? 누가 왔어? 누구랑 가요? 등 |

| 21 | '어디'를 포함해 질문하기 |
| --- | --- |
| 설명 | 아이가 잘 아는 장소 사진을 3개 정도 보여주며 차례로 말하게 한 뒤 4번째 장소 사진은 아이가 잘 모르는 곳을 제시합니다. 아이가 4번째 사진을 보고 장소 이름을 말할 때 망설인다면 '어디야?'라고 물어보도록 가르쳐줍니다. 아이가 '어디야?'라고 물어보았다면 잘 물어보았다고 칭찬해주며 장소의 이름을 알려줍니다. |
| 촉구 | '어디야?'라고 따라 말하게 합니다. |
| 자료 | 아이가 잘 알고 있는 장소사진(유치원, 놀이터, 수영장 등), 잘 모르는 장소사진(공항, 지하철역, 터널 등) |
| 아이템 | 여기 어디야? 어디예요? 어디 가요? 등 |

| 22 | 정중하게 거절 표현하기 |
| --- | --- |
| 설명 | 아이가 원하지 않는 사물 또는 활동이 있을 때 정중하게 거절하는 표현을 하도록 가르쳐줍니다. 예를 들어, 공부하기 싫어하는 아이라면 '안 하고 싶어요', '좀 더 놀고 싶어요', '다음에 할래요', '다른 것 할래요' 등과 같이 정중하게 표현하는 것을 알려줍니다. |
| 촉구 | '아니', '싫어' 대신에 정중한 거절의 표현을 따라 말하게 합니다. |
| 자료 | |
| 아이템 | |

| 23 | 두 가지 선택지 중 원하는 것을 표현하기 |
| --- | --- |
| 설명 | 아이가 좋아하는 사물이나 활동을 두 가지 준비합니다. 성인은 아이에게 "A 할래? B 할래?" 또는 "A 먹을래? B 먹을래?"와 같이 물어봅니다. 아이는 언어로 "A 할래요"와 같이 요구합니다. |
| 촉구 | 원하는 것을 요구하도록 따라 말하게 합니다. |
| 자료 | 두 가지 선택지 |
| 아이템 | |

| 24 | 형용사, 전치사, 부사를 포함해 요구하기(10가지) |
| --- | --- |
| 설명 | 다양한 형용사, 전치사, 부사를 포함한 요구표현을 할 수 있도록 상황을 만들어줍니다. 예를 들어, 아이가 좋아하는 사물을 성인이 아주 천천히 줄 때 아이가 '빨리 주세요'라고 요구하거나, 아이 옆에 딱 붙어서 아이가 불편해할 때 '옆으로 가주세요'라고 요구하도록 알려줄 수 있습니다. 또는 아이가 좋아하는 과자를 위에 올려 놓고 '아래로 내려주세요'라고 요구하도록 알려줄 수도 있습니다. 해당 요구표현을 하기 위한 적절한 상황을 만들어주는 것이 중요합니다. |
| 촉구 | 형용사, 전치사, 또는 부사를 포함한 요구 표현을 따라 말하게 합니다. |
| 자료 | |
| 아이템 | 빨리 주세요, 천천히 보여주세요, 옆으로 가주세요, 아래로 내려주세요, 위로 올려주세요, 안에 넣어주세요, 밖에 놔주세요, 큰 과자 주세요, 작은 인형 주세요 등 |

| 25 | ‘언제’ 사용해 질문하기 |
|---|---|
| 설명 | 아이에게 좋아하는 활동(놀이터 가기)을 오늘 하겠다고 알려줍니다. 아이는 언제 가는지 모르므로 성인에게 ‘언제 놀이터 가요?’라고 물어보도록 따라 말하기를 시킵니다. 아이가 ‘언제 놀이터 가요?’라고 물어보면 잘 물어보았다고 칭찬해주며 시계를 보여주며 ‘2시에 놀이터 갈거야.’라고 알려줍니다. 또는 ‘밥 다 먹고 놀이터 갈거야’ 하고 알려줍니다. 아이가 시간을 이해하고 있다면 시간을, 활동 순서에 대해 이해한다면 활동 순서를 적용하여 언제에 대한 대답을 알려줍니다. |
| 촉구 | ‘언제 OO 해요?’라고 따라 말하게 합니다. |
| 자료 | 아이가 좋아하는 활동 |
| 아이템 | 언제 OO 해요? 언제 가요/와요? 등 |

| 26 | ‘어떻게’를 사용해 질문하기 |
|---|---|
| 설명 | 아이가 어떻게 갖고 노는지 모르는 보드게임을 주며 가지고 놀라고 이야기합니다. 아이가 어떻게 하는지 몰라 망설일 때 ‘어떻게 갖고 놀아요?’ 또는 ‘어떻게 하는거야?’ 라고 질문하도록 유도합니다. |
| 촉구 | ‘어떻게’를 포함한 질문을 따라 말하게 합니다. |
| 자료 | |
| 아이템 | 어떻게 갖고 놀아요? 어떻게 열어요? 어떻게 하는거야? 어떻게 된 일이지? 등 |

| 27 | ‘왜’를 사용해 질문하기 |
|---|---|
| 설명 | 이유를 물을 만한 상황을 만들어준 뒤 ‘왜?’ 질문을 유도합니다. 예를 들어, “우리 지금 밖에 나갈거야!” 라고 이야기한 뒤 아이가 ‘왜요?’라고 물어보면 ‘마트 가려고!’ 또는 ‘놀이터 가려고!’ 와 같이 이유를 말해줍니다. |
| 촉구 | ‘왜’를 포함한 질문을 따라 말하게 합니다. |
| 자료 | |
| 아이템 | |

| 28 | '어떻게'가 포함된 질문에 대해 방법 알려주기(5가지) |
|---|---|
| 설명 | 성인이 '어떻게'라는 단어를 포함해 질문을 하면 아이는 순서대로 방법을 성인에게 알려줍니다. 예를 들어 '클레이로 어떻게 햄버거를 만들어?'라고 질문하면 아이는 '노란 클레이를 꺼내서 눌러요. 빨간 클레이 위에 올려요.'와 같이 질문을 듣고 연속된 순서로 이루어진 방법을 알려줍니다. |
| 촉구 | 해당 방법을 사진으로 미리 찍어두고 보여준 뒤 한 장면씩 천천히 따라 말하게 합니다. 아이가 연속된 순서나 방법을 알고 이를 언어적으로 표현하여 다른 사람에게 알려주거나 지시할 수 있어야 합니다. |
| 자료 | |
| 아이템 | |

| 29 | 자연스러운 상황에서 차례나 기회 요구하기 |
|---|---|
| 설명 | 순서가 있는 게임이나 놀이를 할 때 '저요' 또는 '저도 하고 싶어요'라고 자신의 기회를 요구하는 표현을 알려줍니다. 또는 친구가 갖고 놀고 있는 놀잇감을 가지고 놀고싶어 한다면 '다음에 나도 할래'라고 친구에게 표현하도록 알려줍니다. |
| 촉구 | 적절한 차례나 기회 표현을 따라말하게 합니다. |
| 자료 | |
| 아이템 | 저요, 저도 하고 싶어요, 다음에 나도 할래, 다음에 누구 차례야? 등 |

| 30 | 타인에게 대화에 참여하거나 주의를 끌기위한 요구표현하기(5가지) |
|---|---|
| 설명 | 다른 사람의 주의를 끌기 위해 언어적인 표현을 하는지 관찰합니다. 엄마가 주방에 있고, 아이가 자기가 만든 클레이 작품이나 그림을 엄마에게 보여주기 위해 "엄마, 여기 좀 보세요"와 같은 언어적인 표현을 하여 엄마의 관심을 끌 수 있습니다. 또래들에게도 마찬가지고 "여기 좀 봐봐"하고 관심을 끄는 말을 할 수 있도록 기회를 마련해주고 따라 말해보도록 합니다. 아이가 "여기 좀 봐봐"라고 말하면 주변 성인이나 또래가 반드시 아이에게 관심을 주어야 합니다. |
| 촉구 | 관심을 끌고싶은 동기가 형성되도록 환경을 조성한 후 "여기 좀 보세요"하고 다른 사람의 관심을 끄는 따라 말할 수 있도록 합니다. |
| 자료 | |
| 아이템 | 여기 좀 보세요, 여기 봐, 내 그림 어때?, 내 얘기 들어봐, 잘 들어봐 등 |

Language Education & Training
for Special Children

# 토리 LETS
# 영역별 가이드북

## [8] 명명하기

BCBA 전은지
QBA 송지언

• 언어발달을 위한 ABA 프로그램 •
2024 개정판

# 1. 명명하기란?

언어행동분석에서 명명하기(TACT)는 비언어자극에 대해 언어로 반응하는 것을 말합니다. 예를 들어, 날씨가 맑은 하늘을 보고 "날씨 좋아!"라고 말하는 것, 말랑말랑한 클레이를 만지며 "말랑말랑해"라고 말하는 것, 지나가는 버스를 보고 엄마에게 "버스다!"라고 말하는 것입니다. 즉, 시각적으로 본 것에 대해 말하는 것뿐만 아니라 듣고, 맛보고, 냄새맡고, 만지는 대상에 대해 이야기하는 것을 명명하기라고 합니다.

ABA 원리인 <선행사건 - 행동 - 결과>에 따라 명명하기를 설명하자면, 명명하기의 선행사건은 언어자극이 아닌 비언어자극입니다. 즉 사물, 그림, 소리, 냄새, 맛, 촉감과 같은 자극들이 선행사건이 됩니다. 아이가 신발 그림이나 실물을 보고 '신발', '발에 신는 것', '노란색' 등과 같이 말을 했다면 이것이 바로 명명하기를 한 상황입니다. 그런데 만약 엄마가 '이거 뭐야?' '뭐할 때 쓰는 거야?' '무슨 색 신발이야?'와 같이 질문을 하고 대답을 한 상황이라면 선행사건으로 언어가 제시된 것입니다. 이렇게 명명하기 연습을 할 때 자극을 보여주며 '이거 뭐야?'와 같이 물어보는 경우가 많은데 이런 경우는 순수한 명명하기는 아닙니다. 이러한 상황에서는 명명하기가 아닌 인트라버벌로 구분됩니다. 인트라버벌에 대한 설명은 9장에서 더 자세히 할 예정입니다. 물론 처음 훈련을 할 땐 질문을 함께 할 때 아이의 대답이 더 잘 나오지만 그러한 언어자극은 점차 제거해 나중에는 언어자극 없이도 자발적으로 명명할 수 있어야 합니다.

명명하기의 선행사건이 비언어 자극이라면 후속 결과인 강화 요인에는 무엇이 있을까요? 명명하기는 다른 사람과 관심을 공유하고 사회적인 강화를 얻음으로써 강화가 이루어집니다. 요구하기 프로그램에서는 무언가를 얻기 위해 언어행동을 하고 그 결과로 원하는 것을 얻는데, 이와 달리 명명하기에서는 관심과 칭찬 같은 사회적인 강화를 얻기 위해 언어행동을 합니다. 예를 들어, 지나가는 강아지를 보고 '강아지!'라고 말했을 때 엄마가 '앗, 그러네? 강아지다!'라고 대답하며 함께 관심을 공유하면 아이는 엄마가 반응해주는 것에 재미를 느끼고 만족하며 사회적인 강화가 이루어지죠.

그러나 사람에 대한 관심과 흥미가 비교적 적어 칭찬이나 관심 같은 사회적인 강화가 강화제로서 작용하기 어려운 아이들도 있습니다. 이 아이들의 경우 처음엔 외부적인 강화제와 함께 관심과 칭찬을 제공하고 점차 외부적인 강화제를 제거해 나갑니다.

명명하기는 아동의 언어발달, 의사소통, 사물 변별, 사회적 상호작용, 학습 등 다양한 측면에서 중요한 역할을 합니다. 아동은 주변 사물, 사건, 개념을 인식하고 말로 표현하며 언어능력을 발달시킬 수 있고, 이는 곧 타인과의 의사소통의 기초가 됩니다. 또한 사물의 이름과 특징을 명명함으로써 사물의 특성을 깊이 이해하고 기억할 수 있게 됩니다. 뿐만 아니라 주변 사물과 사건에 대해 정확하게 명명할 수 있다면 타인과의 대화나 상호작용에서 더

욱 원활하게 표현하고 의견을 공유할 수 있게 됩니다. 명명하기를 통해 교육과정에서 필요한 정보를 받아들이고 이해하는 능력을 향상시킬 수 있다는 점에서 학습 능력을 향상시키는 데에도 도움을 줍니다.

명명하기 학습을 시작하려면 가르치려는 단어나 개념에 대한 매칭 능력과 변별 능력, 따라 말하기 능력이 선행되어야 합니다. 예를 들어, '강아지'라는 단어를 명명하는 것을 가르치고 싶다면 아이는 우선 여러 사진들 중 강아지 사진끼리 매칭할 수 있어야 하고, 엄마가 '강아지'라고 말했을 때 아이가 듣고 여러 사진 중 강아지 사진을 골라낼 수 있어야 합니다. 그리고 엄마가 "강아지"라고 했을 때 즉시 아이도 따라서 "강아지"라고 할 수 있어야 합니다. 아직 해당 단어의 매칭이나 변별, 따라 말하기가 어렵다면 명명하기 연습을 시작하기 전에 이러한 연습부터 차근히 진행해야 합니다.

ABA 프로그램에서 명명하기는 타인의 관심을 얻기 위해 손을 뻗는 것부터 시작해 친숙한 단어를 모방하고 명명하는 것, 사물이나 동작의 이름을 명명하는 것, 사물의 색깔과 모양, 기능에 대해 말하는 것, 범주의 이름을 말하는 것, 촉감, 형용사, 위치, 날씨 등을 명명하는 것까지 단계적으로 진행됩니다. 30가지의 단계적인 장기목표로 구성되어 있으며 아동의 수준에 따라 가장 기본적인 것부터 수행하게 됩니다. 명명하기를 연습하면서 아이는 점차 추상적이고 고차원적인 개념에 대해 이름을 붙이며 보다 독립적이고 의미 있는 삶을 누리는 기반을 쌓게 될 것입니다.

# 2. 명명하기를 위한 장기목표(30가지)

| 1 | 엄마(아빠)의 관심을 얻기 위해 포인팅 또는 손뻗기와 같은 제스쳐 보여주기 | |
|---|---|---|
| 설명 | 자연스러운 상황에서 엄마, 아빠의 관심을 얻기 위해 손을 뻗거나 포인팅하는 등의 제스처를 보여주는지 확인합니다. | 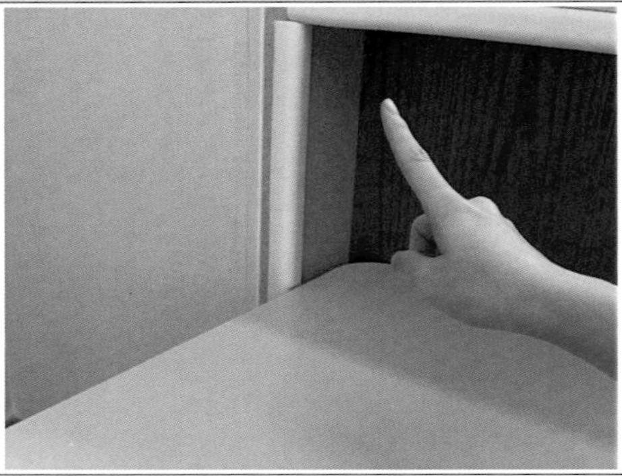 |
| 촉구 | | |
| 자료 | | |
| 아이템 | | |

| 2 | 엄마(아빠)의 관심을 얻기 위해 제스쳐와 음성을 동시에 사용하기 | |
|---|---|---|
| 설명 | 자연스러운 상황에서 엄마, 아빠의 관심을 얻기 위해 손을 뻗거나 포인팅하는 등의 제스처와 함께 음성을 내는지 확인합니다. | 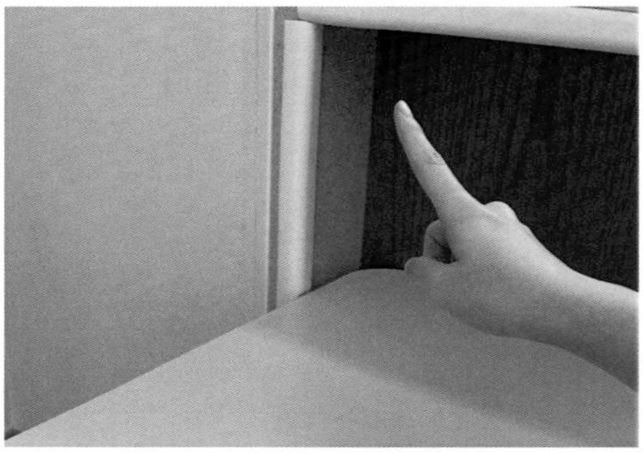 |
| 촉구 | | |
| 자료 | | |
| 아이템 | | |

| 3 | 사물보며 이름 따라말하기(2가지) |
|---|---|
| 설명 | 부모님이 아이에게 "따라해"라고 말한 뒤 사물 또는 사진을 보여주며 아이가 친숙해할만한 단어를 들려줍니다. 단어를 듣고 3초 이내에 아이는 똑같이 따라 말합니다. 2가지의 단어를 모방하는 연습을 합니다. |
| 촉구 | 한 글자씩 따라 말하도록 합니다. |
| 자료 | 아이에게 친숙한 단어 2가지 |
| 아이템 | 예) 엄마, 아빠, 밥, 까까, 물, 안녕 등 |

| 4 | 사물보며 이름 따라말하기(4가지) |
|---|---|
| 설명 | 부모님이 아이에게 "따라해"라고 말한 뒤 사물 또는 사진을 보여주며 아이가 친숙해할만한 단어를 들려줍니다. 단어를 듣고 3초 이내에 아이는 똑같이 따라 말합니다. 4가지의 단어를 모방하는 연습을 합니다. 3)에서 이미 2가지 종류의 사진을 연습했으므로 2가지만 더 연습하면 됩니다. 다만 4가지 사물이나 사진을 제시하며 말했을 때 모두 따라말할 수 있어야 합니다. |
| 촉구 | 한 글자씩 따라 말하도록 합니다. |
| 자료 | 아이에게 친숙한 단어 2가지 |
| 아이템 | 예) 엄마, 아빠, 밥, 까까, 물, 안녕 등 |

| 5 | 친숙한 사물 명명하기(2가지) |
|---|---|
| 설명 | 아이에게 친숙한 사물이나 사진을 아이에게 보여줍니다. 사물이나 사진을 보고 3초 이내에 아이는 해당하는 사물의 이름을 말합니다. 예를 들어 밥 사진을 보여준 후 "밥"이라고 말할 수 있어야 하고 과자 사진을 보여준 후 "까까"라고 말할 수 있어야 합니다. 2가지 종류의 친숙한 사물이나 사진으로 연습합니다. |
| 촉구 | 방법1) 사물이나 사진을 보여주면서 해당 사물의 이름을 알려주고 따라 말하게 합니다.<br>방법2) 사물의 이름 첫 글자를 알려줍니다. |
| 자료 | 2가지 사물이나 사진 |
| 아이템 | 예) 밥, 우유, 주스, 뽀로로, 과자, 사탕 등 |

| 6 | 친숙한 사물 명명하기(4가지) |
|---|---|
| 설명 | 아이에게 친숙한 사물이나 사진을 아이에게 보여줍니다. 사물이나 사진을 보고 3초 이내에 아이는 해당하는 사물의 이름을 말합니다. 예를 들어 엄마 사진을 보여준 후 “엄마”라고 말할 수 있어야 합니다. 4가지 종류의 친숙한 사물이나 사진으로 연습합니다. 5)에서 이미 2가지 종류의 사진을 연습했으므로 2가지만 더 연습하면 됩니다. 다만 4가지 사물이나 사진을 제시했을 때 모두 명명할 수 있어야 합니다. |
| 촉구 | 방법1) 사물이나 사진을 보여주면서 해당 사물의 이름을 알려주고 따라 말하게 합니다.<br>방법2) 사물의 이름 첫 글자를 알려줍니다. |
| 자료 | 4가지 사물이나 사진 |
| 아이템 | 예) 자동차, 버스, 밥, 과자, 쥬스, 우유, 물, 사탕 등 |

| 7 | 자발적으로 명명하기(6가지) |
|---|---|
| 설명 | 사물(또는 동물, 과일)이나 사진을 아이에게 보여줍니다. 사물이나 사진을 보고 3초 이내에 아이는 해당하는 이름을 말합니다. 6가지 종류의 사물이나 사진으로 연습합니다. |
| 촉구 | 방법1) 사물이나 사진을 보여주면서 해당 사물의 이름을 알려주고 따라 말하게 합니다.<br>방법2) 사물의 이름 첫 글자를 알려줍니다. |
| 자료 | 6가지 사물이나 사진 |
| 아이템 | 예) 강아지, 토끼, 오리, 컵, 숟가락, 양말 등 |

| 8 | 자발적으로 명명하기(8가지) |
|---|---|
| 설명 | 사물(또는 동물, 과일)이나 사진을 아이에게 보여줍니다. 사물이나 사진을 보고 3초 이내에 아이는 해당하는 사물의 이름을 말합니다. 8가지 종류의 사진으로 연습합니다. 7)에서 이미 6가지 종류의 사진으로 연습했으므로 2가지만 추가로 더 연습하면 됩니다. 그러나 8가지 사물이나 사진을 제시했을 때 모두 명명할 수 있어야 합니다. |
| 촉구 | 방법1) 사물이나 사진을 보여주면서 해당 사물의 이름을 알려주고 따라 말하게 합니다.<br>방법2) 사물의 이름 첫글자를 알려줍니다. |
| 자료 | 8가지 사물이나 사진 |
| 아이템 | 예) 강아지, 양, 고양이, 하마, 말, 오리, 컵, 바지 (아이가 듣고 찾을 수 있는 다른 사물 사진을 사용해도 괜찮습니다) |

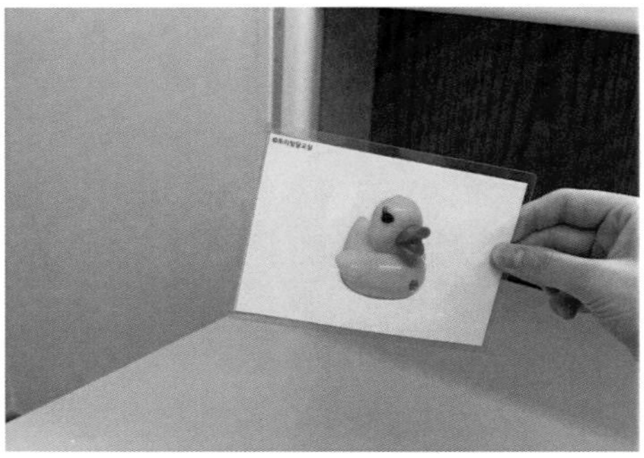

| 9 | 자연스러운 상황에서 '이거 뭐야?'에 대답하기 |
|---|---|
| 설명 | 책상이나 놀이영역 등 자연스러운 상황에서 사물을 가리키며 '이거 뭐야?'라고 물어보면 아이는 3초 이내에 사물의 이름을 말합니다. 이미 명명하기가 가능한 사물에 대해서 물어봅니다. |
| 촉구 | 사물의 이름을 알려주고 따라 말하게 합니다. |
| 자료 | |
| 아이템 | 아이가 자발적으로 명명할 수 있는 단어들 |

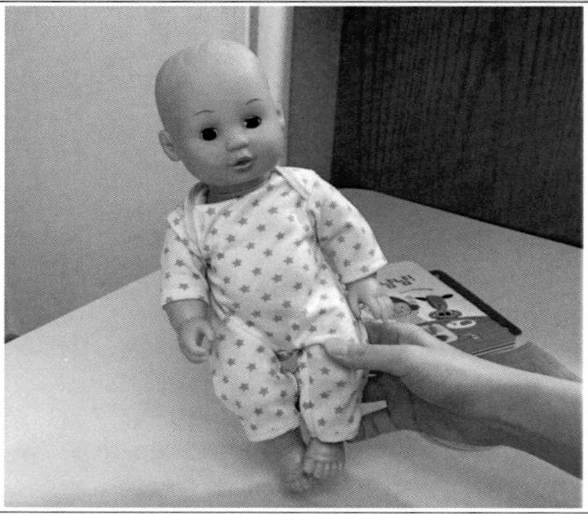

| 10 | 자발적으로 명명하기(10가지) |
|---|---|
| 설명 | 사물(또는 동물, 과일)이나 사진을 아이에게 보여줍니다. 사물이나 사진을 보고 3초 이내에 아이는 해당하는 사물의 이름을 말합니다. 10가지 종류의 사진으로 연습합니다. 8)에서 이미 8가지 종류의 사진으로 연습했으므로 2가지만 추가로 더 연습하면 됩니다. 그러나 10가지 사진을 제시했을 때 모두 명명할 수 있어야 합니다. |
| 촉구 | 방법1) 사물이나 사진을 보여주면서 해당 사물의 이름을 알려주고 따라 말하게 합니다.<br>방법2) 사물의 이름 첫글자를 알려줍니다. |
| 자료 | 10가지 사물이나 사진 |
| 아이템 | 강아지, 양, 고양이, 하마, 말, 오리, 컵, 바지, 칫솔, 양말 (아이가 듣고 찾을 수 있는 다른 사물 사진을 사용해도 괜찮습니다) |

| 11 | 동작 명명하기(10가지) |
|---|---|
| 설명 | 어떤 동작을 직접 보여주거나 동작이 표현된 사진을 아이에게 보여줍니다. 직접 동작을 보거나 사진을 보고 3초 이내에 아이는 해당하는 동작의 이름을 말합니다. 10가지 종류의 동작을 연습합니다. |
| 촉구 | 방법1) 직접 또는 사진을 보여주면서 해당 동작의 이름을 알려주고 따라말하게 합니다.<br>방법2) 동작 이름 첫글자를 알려줍니다. |
| 자료 | 직접 동작 또는 동작 사진 10장 |
| 아이템 | 코자, 안아, 손잡아, 치카해, 세수해, 손씻어, 뽀뽀해, 앉아, 일어나, 책봐 (아이가 듣고 찾을 수 있는 다른 동작 사진을 사용해도 괜찮습니다) |

| 12 | 자발적으로 명명하기(20가지) |
|---|---|
| 설명 | 사물(또는 동물, 과일)이나 사진을 아이에게 보여줍니다. 사물이나 사진을 보고 3초 이내에 아이는 해당하는 사물의 이름을 말합니다. 20가지 종류의 사진으로 연습합니다. 10)에서 이미 10가지 종류의 사진으로 연습했으므로 10가지만 추가로 더 연습하면 됩니다. 그러나 20가지 사물이나 사진을 제시했을 때 모두 명명할 수 있어야 합니다. |
| 촉구 | 방법1) 사물이나 사진을 보여주면서 해당 사물의 이름을 알려주고 따라 말하게 합니다.<br>방법2) 사물의 이름 첫글자를 알려줍니다. |
| 자료 | 사진 20장 |
| 아이템 | 컵, 숟가락, 칫솔, 공, 양말, 가위, 색연필, 블록, 인형, 시계,<br>바나나, 귤, 딸기, 오리, 토끼, 강아지, 버스, 자동차, 기차, 비행기 |

| 13 | 자발적으로 명명하기(30가지) |
|---|---|
| 설명 | 사물(또는 동물, 과일)이나 사진을 아이에게 보여줍니다. 사물이나 사진을 보고 3초 이내에 아이는 해당하는 사물의 이름을 말합니다. 30가지 종류의 사물이나 사진으로 연습합니다. 12)에서 이미 20가지 종류의 사진으로 연습했으므로 10가지만 추가로 더 연습하면 됩니다. 그러나 30가지 사물이나 사진을 제시했을 때 모두 명명할 수 있어야 합니다.  |
| 촉구 | 방법1) 사물이나 사진을 보여주면서 해당 사물의 이름을 알려주고 따라 말하게 합니다.<br>방법2) 사물의 이름 첫글자를 알려줍니다. |
| 자료 | 30가지 사물이나 사진 |
| 아이템 | 아이가 변별할 수 있는 아이템으로 준비 |

| 14 | 자발적으로 명명하기(40가지) |
|---|---|
| 설명 | 사물(또는 동물, 과일)이나 사진을 아이에게 보여줍니다. 사물이나 사진을 보고 3초 이내에 아이는 해당하는 사물의 이름을 말합니다. 40가지 종류의 사진으로 연습합니다. 13)에서 이미 30가지 종류의 사진으로 연습했으므로 10가지만 추가로 더 연습하면 됩니다. 그러나 40가지 사물이나 사진을 제시했을 때 모두 명명할 수 있어야 합니다. |
| 촉구 | 방법1) 사물이나 사진을 보여주면서 해당 사물의 이름을 알려주고 따라 말하게 합니다.<br>방법2) 사물의 이름 첫글자를 알려줍니다. |
| 자료 | 40가지 사물이나 사진 |
| 아이템 | 아이가 변별할 수 있는 아이템으로 준비 |

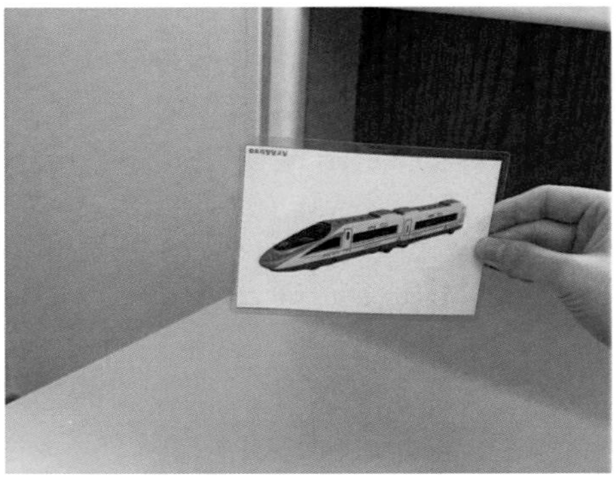

| 15 | 자발적으로 명명하기(50가지) | |
|---|---|---|
| 설명 | 사물(또는 동물, 과일)이나 사진을 아이에게 보여줍니다. 사물이나 사진을 보고 3초 이내에 아이는 해당하는 사물의 이름을 말합니다. 50가지 종류의 사물이나 사진으로 연습합니다. 14)에서 이미 40가지 종류의 사진으로 연습했으므로 10가지만 추가로 더 연습하면 됩니다. 그러나 50가지 사물이나 사진을 제시했을 때 모두 명명할 수 있어야 합니다. |  |
| 촉구 | 방법1) 사물이나 사진을 보여주면서 해당 사물의 이름을 알려주고 따라말하게 합니다.<br>방법2) 사물의 이름 첫글자를 알려줍니다. | |
| 자료 | 50가지 사물이나 사진 | |
| 아이템 | 아이가 변별할 수 있는 아이템으로 준비 | |

| 16 | 색깔 또는 모양 명명하기(10가지) | |
|---|---|---|
| 설명 | 색깔 또는 모양 사진을 아이에게 보여줍니다. 색깔 또는 모양을 보고 3초 이내에 아이는 해당하는 색깔 또는 모양의 이름을 말합니다. 10가지 종류로 연습합니다. | |
| 촉구 | 방법1) 사물이나 사진을 보여주면서 해당 색깔 또는 모양의 이름을 알려주고 따라말하게 합니다.<br>방법2) 이름 첫글자를 알려줍니다. | |
| 자료 | 10가지 색깔 또는 모양 사진 | |
| 아이템 | 빨강, 노랑, 파랑, 초록, 주황, 동그라미, 세모, 네모, 별, 하트 등 | |

| 17 | 동작 명명하기(20가지) |
| --- | --- |
| 설명 | 어떤 동작을 직접 보여주거나 동작이 표현된 사진을 아이에게 보여줍니다. 직접 동작을 보거나 사진을 보고 3초 이내에 아이는 해당하는 동작의 이름을 말합니다. 20가지 종류의 동작을 연습합니다. 11)에서 이미 10가지 종류의 사진으로 연습했으므로 10가지만 추가로 더 연습하면 됩니다. 그러나 20가지 사진을 제시했을 때 모두 명명할 수 있어야 합니다.  |
| 촉구 | 방법1) 직접 또는 사진을 보여주면서 해당 동작의 이름을 알려주고 따라말하게 합니다.<br>방법2) 동작 이름 첫글자를 알려줍니다. |
| 자료 | 직접 동작 또는 동작 사진 20장 |
| 아이템 | 코자, 안아, 손 잡아, 치카해, 세수해, 손 씻어, 뽀뽀해, 앉아, 일어나, 책 봐, 샤워해, 목욕해, 머리 감아, 머리빗어, 피아노 쳐, 색칠해, 그림 그려, 버려, 문 열어, 문 닫아 (아이가 듣고 찾을 수 있는 다른 동작 사진을 사용해도 괜찮습니다) |

| 18 | 장소 명명하기(10가지) |
|---|---|
| 설명 | 아이가 듣고 찾을 수 있는 장소 사진을 아이에게 보여줍니다. 장소사진을 보고 3초 이내에 아이는 해당하는 장소의 이름을 말합니다. 10가지 종류로 연습합니다. |
| 촉구 | 방법1) 사진을 보여주면서 해당 장소의 이름을 알려주고 따라말하게 합니다.<br>방법2) 장소의 이름 첫글자를 알려줍니다. |
| 자료 | 10가지 장소 사진 |
| 아이템 | 놀이터, 공원, 주차장, 수영장, 유치원, 마트, 엘리베이터, 키즈카페, 화장실, 거실, 안방, 주방, 신발장, 베란다 등 |

| 19 | 2단어로 명명하기(30가지) |
|---|---|
| 설명 | 아이가 변별할 수 있는 어떤 상황이거나 상황이 표현된 사진이나 그림을 아이에게 보여줍니다. 그 상황을 보고 3초 이내에 아이는 2단어로 상황에 대해 말합니다. 30가지 종류의 직접 또는 사진으로 연습합니다. |
| 촉구 | 방법1) 직접 또는 사진을 보여주면서 상황에 대해 2단어로 알려준 뒤 따라말하게 합니다.<br>방법2) 동작 이름 첫 글자를 알려줍니다. |
| 자료 | 사진 30장 |
| 아이템 | 예) 책을 봐요, 물을 마셔요, 블록을 쌓아요, 손을 씻어요 등 |

| 20 | 자발적으로 명명하기(200가지) | |
|---|---|---|
| 설명 | 사물이나 사진, 책, 영상에서 시각적 자극에 대해 아이는 3초 이내에 해당하는 아이템의 이름을 말합니다. 200가지 종류의 사물이나 사진으로 연습합니다. 사물, 동작, 색깔, 모양, 날씨, 직업, 장소, 인물 등 다양하게 아동이 명명할 수 있는 단어가 총 200단어 정도가 되는지 확인합니다.  | |
| 촉구 | 방법1) 사물이나 사진을 보여주면서 해당 아이템의 이름을 알려주며 따라말하게 합니다.<br>방법2) 아이템의 이름 첫글자를 알려줍니다. | |
| 자료 | 사물이나 사진 200가지 | |
| 아이템 | 사물, 동작, 색깔, 모양, 날씨, 직업, 장소, 인물 등 아이가 변별할 수 있는 아이템으로 준비 | |

| 21 | 범주에 대해 말하기(7가지) | |
|---|---|---|
| 설명 | 한 범주의 사진들을 모아놓고 "이것들은 뭐라고 불러?"라고 물어봅니다. 3초 이내에 아이는 사진들을 보고 "동물" 또는 "과일"과 같이 범주에 대해 말합니다. 명명하기 이전에 범주별 매칭과 변별이 가능해야 합니다. 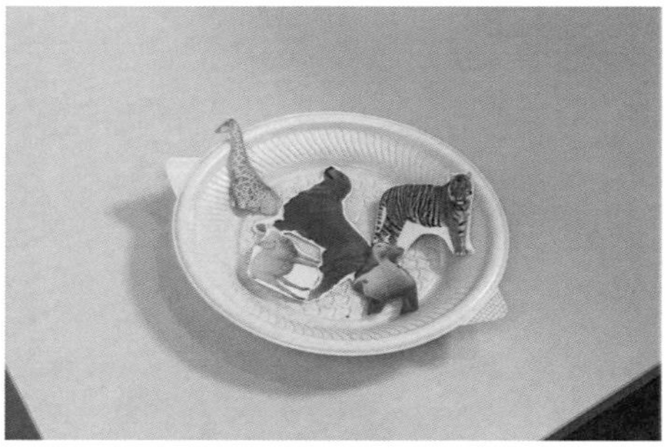 | |
| 촉구 | 사물들의 범주를 따라말하게 합니다. | |
| 자료 | 범주별 사진 5장씩 (5x7=35장) | |
| 아이템 | 동물, 과일, 탈것, 옷, 장난감, 색깔, 모양 | |

| 22 | 사물의 위치를 보고 전치사를 포함해 명명하기(8가지) |
|---|---|
| 설명 | 블록 또는 공을 의자 위, 의자 아래, 바구니 안, 바구니 밖 등 다양한 위치에 두고 "블록은 어디에 있어?"와 같이 물어봅니다. 3초 이내에 아이는 사물의 위치를 보고 "바구니 안"과 같이 대답합니다. 위치를 명명하기 이전에 위치 변별이 가능해야 합니다.  |
| 촉구 | 사물의 위치를 함께 보며 정답을 알려주고 따라말하게 합니다. |
| 자료 | 블록, 공, 바구니, 의자 |
| 아이템 | 위, 아래, 안, 밖, 앞, 뒤, 옆, 사이 |

| 23 | 감각 명명하기(10가지) |
|---|---|
| 설명 | 눈으로는 촉감을 추측할 수 없게 눈을 감게 하거나 사물을 가린 뒤 감각을 느끼게 해주고 아이에게 "느낌이 어때?" "맛이 어때?" "무슨 냄새나?"와 같이 물어봅니다. 3초 이내에 아이는 감각의 이름을말합니다.  |
| 촉구 | 방법1) 정답을 알려주고 따라말하게 합니다.<br>방법2) 사물을 눈으로도 보고 직접 느껴보며 어떤 감각인지 말하게 합니다. |
| 자료 | 10가지 감각을 느낄 수 있는 사물 |
| 아이템 | 촉각: 미끌미끌, 까끌까끌, 차가워, 뜨거워, 말랑해, 딱딱해, 부드러워, 따가워 등<br>미각: 달다, 짜다, 시다 등<br>후각: 과자, 꽃 등 |

| 24 | 같다 또는 다르다 명명하기 |
| --- | --- |
| 설명 | 서로 같은 카드 2개 또는 서로 다른 카드 2개를 보여주며 "이 둘은 어때?" 또는 "이 둘은 같아? 달라?"라고 물어봅니다. 질문을 듣고 3초 이내에 아이는 카드를 보며 "같아" 또는 "달라"라고 대답합니다. |
| 촉구 | 사진을 함께 보며 정답을 알려주고 따라말하게 합니다. |
| 자료 | 같거나 다른 사진 10쌍 |
| 아이템 | 같거나 다른 사물 사진 |

| 25 | 표정 사진을 보고 감정 명명하기(4가지) |
| --- | --- |
| 설명 | 어떤 표정을 한 사람의 사진을 보여주며 "기분이 어때?"라고 물어봅니다. 3초 이내에 아이는 카드를 보며 "기뻐(좋아)" 또는 "슬퍼(울어)"와 같이 대답합니다. |
| 촉구 | 사진을 함께 보며 정답을 알려주고 따라말하게 합니다. |
| 자료 | 4가지 직접 또는 사진이나 그림 |
| 아이템 | 기뻐(좋아), 슬퍼(울어), 깜짝 놀랐어, 화났어 |

| 26 | 신체 부위의 기능 명명하기(6가지) |
| --- | --- |
| 설명 | 아이에게 "여기로 뭐해?"와 같이 물어보며 신체부위 사진을 보여주거나 실제 위치를 가리킵니다. 3초 이내에 아이는 "봐", "냄새 맡아"와 같이 해당하는 기능을 말합니다. 눈, 코, 입, 귀, 발, 손 등 6종류의 신체부위의 기능을 명명하는 연습을 합니다. 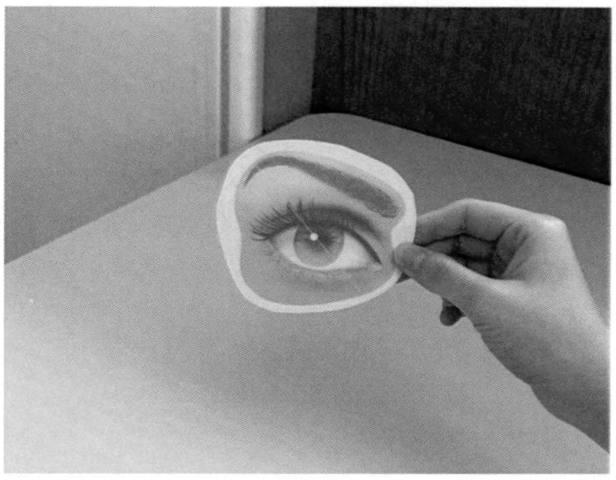 |
| 촉구 | 정답을 알려주고 따라말하게 합니다. |
| 자료 | 눈, 코, 입, 귀, 발, 손 |
| 아이템 | 눈-책을 본다, 코-냄새를 맡는다, 입-음식을 먹는다, 귀-노래를 듣는다, 발-걷는다, 공을 찬다, 손-물건을 잡는다, 색칠한다 등 |

| 27 | 형용사와 부사를 포함해 명명하기(16가지) |
|---|---|
| 설명 | 아이에게 동일하지만 크기가 다른 두 쌍의 사물 사진을 보여줍니다. 그중 하나를 가리키며 "이건 어때?"라고 물어봅니다. 3초 이내에 아이는 "커" 혹은 "작아"라고 대답합니다. 크고 작은 것, 길고 짧은 것, 깨끗하고 더러운 것, 많고 적은 것 등 네 쌍의 사진을 준비해 형용사를 포함해 명명하는 연습을 합니다.<br>네 쌍의 형용사를 포함해 명명하는 연습을 완료했다면 네 쌍의 부사를 포함해 명명하는 연습을 진행합니다. 부모님이 아이 앞에서 동그라미를 크게 혹은 작게 그리며 "어떻게 그렸어?"라고 물어봅니다. 3초 이내에 아이는 "크게 그렸어" 혹은 "작게 그렸어"라고 대답합니다. 북을 시끄럽게 혹은 조용하게 치고, 스티커를 높이 혹은 낮게 붙이고, 공을 빠르게 혹은 천천히 흔들며 알맞은 부사를 포함해 부모님의 동작을 명명하도록 합니다. 4쌍의 형용사, 4쌍의 부사 총 16가지를 연습합니다.  |
| 촉구 | 동작을 보여주며 정답을 알려주고 따라말하게 합니다. |
| 자료 | 4쌍의 형용사 사진이나 사물, 스케치북, 색연필, 북, 스티커, 공 |
| 아이템 | 아이템: 크다-작다, 많다-적다, 깨끗하다-더럽다, 길다-짧다 / 빨리-천천히, 높게-낮게, 크게-작게, 시끄럽게-조용하게 |

<table>
<tr><th>29</th><th colspan="2">책을 보며 장면에 대해 2-3단어 이상의 문장으로 설명하기(20가지)</th></tr>
<tr><td>설명</td><td>아이에게 책을 보여주고 한 장면을 가리키며 “친구가 뭐하고 있는지 얘기해줘”라고 말합니다. 아이는 장면을 보고 “친구가 토마토를 잘라요”와 같이 2-3단어의 문장으로 설명합니다. 20가지 이상의 장면을 설명하는 연습을 합니다.</td><td>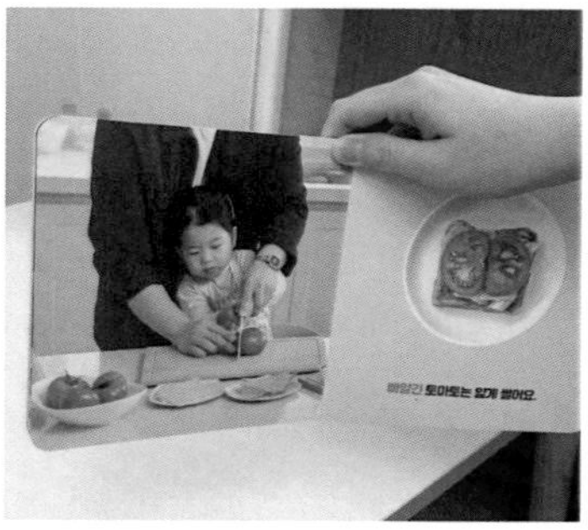</td></tr>
<tr><td>촉구</td><td colspan="2">방법1) 부모님이 문장을 먼저 말해주고 아이에게 따라말하게 합니다.<br>방법2) 한글을 아는 아이라면 스케치북에 문장을 써서 보여주고 따라말하게 합니다.</td></tr>
<tr><td>자료</td><td colspan="2">책</td></tr>
<tr><td>아이템</td><td colspan="2">20가지 이상의 책 장면</td></tr>
</table>

<table>
<tr><th>30</th><th colspan="2">책을 보며 장면에 대해 4단어 이상의 문장으로 설명하기(20가지)</th></tr>
<tr><td>설명</td><td>아이에게 책을 보여주고 한 장면을 가리키며 “친구들이 뭐하고 있는지 얘기해줘”라고 말합니다. 아이는 장면을 보고 “염소가 포크로 시금치를 먹어요.”와 같이 4단어 이상의 문장으로 설명합니다. 20가지 이상의 장면을 설명하는 연습을 합니다.</td><td><br></td></tr>
<tr><td>촉구</td><td colspan="2">방법1) 부모님이 문장을 먼저 말해주고 아이에게 따라말하게 합니다.<br>방법2) 한글을 아는 아이라면 스케치북에 문장을 써서 보여주고 따라말하게 합니다.</td></tr>
<tr><td>자료</td><td colspan="2">책</td></tr>
<tr><td>아이템</td><td colspan="2">20가지 이상의 책 장면</td></tr>
</table>

Language Education & Training
for Special Children

# 토리 LETS 영역별 가이드북

## [9] 인트라버벌

BCBA 전은지
QBA 송지언

• 언어발달을 위한 ABA 프로그램 •
2024 개정판

# 1. 인트라버벌이란?

인트라버벌은 다른 사람의 언어를 듣고 이해한 뒤 적절하게 언어로 반응하는 것을 말합니다. 예를 들어, 친구가 "너 지금 어디가?"라고 물었을 때 "놀이터!"와 같이 대답하는 것이나 "너 이름이 뭐야?"라고 물었을 때 "난 000야."라고 대답하는 것이 인트라버벌에 해당합니다.

인트라버벌은 상대방의 말을 듣고 그대로 따라하는 것이 아니라 상대의 말을 듣고 이해한 뒤 다른 말을 사용하여 적절하게 반응해야하기 때문에 더욱 복잡하고 어려운 언어적 행동이라고 할 수 있습니다. 수용 언어와 표현 언어가 각각 있더라도 반드시 인트라버벌이 나타나는 것은 아닙니다. 원활한 수용 언어와 표현 언어를 기반으로 '대화를 주고받는 훈련'을 지속적으로 해나가야 인트라버벌이 원활해질 수 있습니다.

언어가 느리거나 아직 발화하지 않은 아동이 부모와 자연스러운 대화를 나누게 되려면 체계적인 대화 기술을 장기간 교육해야 합니다. 우선 인트라버벌 연습을 시작하기 전에 원하는 것을 자발적으로 요구하거나 사물의 이름을 명명하는 능력을 갖추고 있어야 합니다. 언어행동을 돕는 체계적인 프로그램인 VB-MAPP에서는 스스로 요구할 수 있는 단어나 명명할 수 있는 것이 각각 10개 이상이고, 듣고 찾을 수 있는 단어가 20개 이상, 동작을 모방할 수 있는 것이 20개 이상 가능할 때 인트라버벌 연습을 시작해볼 수 있다고 이야기합니다.

인트라버벌을 수행하기 위해서는 그 문장 안에 포함된 단어를 이해하고 있어야 합니다. 즉, 문장 안에 포함된 단어를 아이가 이해하거나 명명할 수 있는지부터 확인해야 합니다. 예를 들어, "치카할 때 쓰는 건 뭐지?"라고 물었을 때 아이는 칫솔 사진을 찾을 수 있어야 하고 칫솔 사진을 보고 "칫솔"이라고 명명할 수 있어야 합니다. 이렇게 듣고 이해하는 능력이 원활해야 인트라버벌을 수행할 수 있으므로, 만약 이 부분이 어렵다면 인트라버벌을 연습시키기보다는 먼저 질문을 듣고 여러 가지 사진이나 사물들 중에서 찾는 연습을 해야 합니다.

인트라버벌을 연습할 수 있는 가장 쉬운 연습 방법은 노래를 이어부르거나 동물소리를 이어 말하는 것입니다. 예를 들어, '작은 별' 노래로 인트라버벌 연습을 시작할 때 처음에는 엄마가 "반짝 반짝 작은"까지 말해주고 아이가 "별"이라고 말할 수 있도록 합니다. 이렇게 간단한 목표를 완수했다면 목표를 점차 높여 "반짝 반짝"이라고 말했을 때 아이가 "작은 별"을 말할 수 있도록 연습합니다. 동물 소리를 이어서 말하는 연습을 할 때는 엄마가 "강아지는?" 이라고 물었을 때 아이가 "멍멍"이라고 대답하도록 합니다.

이러한 간단한 목표들을 숙달한 후에는 아이가 명명할 수 있는 단어의 기능이나 범주, 특징을 가르치면서 좀 더 수준 높은 인트라버벌 연습을 시도할 수 있습니다. 예를 들어, "멍멍 우는 건?"이라고 물으면 "강아지"라고 대답하거나 "치카하는 건?"이라고 물으면 "칫솔"이라고 대답할 수 있도록 연습합니다. 이렇게 하면 의문사를 포함한 질문에도 대답할 수 있도록 연습할 수 있습니다. 예를 들어, "멍멍 우는 건 뭐야?"라고 물으면 "강아지"라고 대답하는 방식으로 질문의 길이를 확장해가는 것입니다.

인트라버벌은 언어 및 의사소통 능력을 향상시키는 데에 매우 중요한 역할을 합니다. 상대방의 질문이나 말에 적절하게 대응하는 과정을 배우면서 보다 원활하고 효과적으로 의사소통할 수 있게 됩니다. 이를 통해 다른 사람들과의 친밀도가 높아지고 사회적인 규칙을 지킬 수 있어 사회적 상호작용에 필요한 기술을 배울 수 있습니다.

또한 인트라버벌을 통해 개념을 이해하고 질문에 대답하며 올바른 행동을 습득함으로써 학습 내용을 더 잘 이해하고 활용할 수 있게 됩니다. 질문을 이해하고 적절한 응답을 만들어내면서 문제해결능력과 추론능력을 향상시키고 상황에 유연하게 대처하는 데 필요한 기술을 갖추게 될 수도 있습니다. 이렇게 인트라버벌은 언어적인 반응을 촉진하고 상호작용을 지속시키기 때문에 아동의 사회성 향상에 필수적입니다.

ABA 프로그램에서 인트라버벌은 동물 소리나 노래를 이어 말하는 것부터 시작하여 동작을 이어 말하는 것, 범주나 기능을 듣고 대답하는 것, 책을 읽고 질문에 대답하는 것, 다양한 의문사가 포함된 질문에 대답하는 것, 어떤 사건에 대해 설명하거나 한 주제에 대한 다양한 질문에 적절하게 대답하는 것까지 단계적으로 진행됩니다. 총 32가지의 단계적인 장기목표로 구성되어 있으며, 아동의 수준에 따라 가장 기본적인 것부터 연습을 진행합니다. 인트라버벌을 지속적으로 연습하면 아이의 의사소통 능력이 향상되고, 사회적 상호작용이 개선되면서 가정이나 학교와 같은 일상생활에서의 독립성이 향상될 수 있습니다.

## 2. 인트라버벌을 위한 장기목표(30가지)

| 1 | 활동 중에 이어말하기(2가지) |
|---|---|
| 설명 | 아이와 재미있는 활동을 하며 “준비?”라고 말하면 아이가 이어서 “시작!”이라고 말하거나, “하나, 둘?”이라고 말하면 아이가 이어서 “셋!”과 같이 적절히 말합니다. 2가지 종류의 이어말하기 연습을 합니다. |
| 촉구 | 정답을 알려주며 따라 말하게 합니다. |
| 자료 | |
| 아이템 | 준비? 시작, 하나 둘? 셋 |

| 2 | 동물소리나 환경음 이어 말하기(10가지) |
|---|---|
| 설명 | 아이에게 “강아지는?”과 같이 질문합니다. 질문을 듣고 3초 이내에 아이는 “멍멍”과 같이 해당하는 동물 소리를 이어 말합니다. 10가지 종류의 동물소리나 환경음 이어 말하기 연습을 합니다. |
| 촉구 | 방법1) 사진을 함께 보여주며 동물 이름을 말합니다. 예를 들어 강아지 사진과 함께 “강아지는?”이라고 물어봅니다.<br>방법2) 정답을 알려주며 따라 말하게 합니다. |
| 자료 | |
| 아이템 | 강아지는? 멍멍, 고양이는? 야옹, 오리는? 꽥꽥, 참새는? 짹짹, 소는? 음모, 돼지는? 꿀꿀, 개구리는? 개굴개굴, 자동차는? 빵빵, 기차는? 칙칙폭폭, 비행기는? 슈웅 |

| 3 | 동물소리나 환경음을 듣고 무엇인지 대답하기(10가지) |
|---|---|
| 설명 | 아이에게 "멍멍 우는 건?"과 같이 질문합니다. 질문을 듣고 3초 이내에 아이는 "강아지"와 같이 대답합니다. 10가지 종류의 동물소리나 환경음을 듣고 무엇인지 대답하는 연습을 합니다. |
| 촉구 | 방법1) 사진을 함께 보여주며 해당하는 동물소리나 환경음을 들려줍니다.<br>방법2) 정답을 알려주며 따라말하게 합니다. |
| 자료 | |
| 아이템 | 멍멍 우는건? 강아지, 야옹 우는건? 고양이, 꽥꽥 우는건? 오리, 짹짹 우는건? 참새, 음모 우는건? 소, 꿀꿀 우는건?, 개굴개굴 우는건? 개구리, 빵빵 소리나는건? 자동차, 칙칙폭폭 소리나는건? 기차, 슈웅 소리나는건? 비행기 |

| 4 | 동작 이어말하기(10가지) | |
|---|---|---|
| 설명 | 아이에게 실제 상황에서 혹은 상황 없이 "밥을?", "물을?"과 같이 물어봅니다. 3초 이내에 아이는 "먹어요", "마셔요"와 같이 해당하는 동작을 이어 말합니다. 총 10가지를 연습하되 5가지 종류의 동작 이어 말하기를 실제 상황에서도 연습하고 아무 상황이 아닐 때에도 나누어 연습합니다. | 밥을?<br>먹어요 |
| 촉구 | 동작 사진을 보여주며 정답을 알려주고 따라말하게 합니다. | |
| 자료 | | |
| 아이템 | STO 1) 실제 상황: 밥을? 먹어요, 물을? 마셔요, 침대에서? 코자, 칫솔로? 치카해, 색연필로? 색칠해<br>STO 2) 상황 없이: 밥을? 먹어요, 물을? 마셔요, 침대에서? 코자, 칫솔로? 치카해, 색연필로? 색칠해 | |

| 5 | 2단어 이상으로 노래 이어부르기(5가지) | |
|---|---|---|
| 설명 | 아이에게 익숙한 동요를 한 소절 부르고 잠시 기다립니다. 3초 이내에 아이는 다음 소절을 이어서 부릅니다. 5가지 종류의 노래 이어부르기 연습을 합니다. 아직 2단어 발화가 어렵다면 1단어 이어부르기로 연습합니다. | 반짝반짝 작은별<br>아름답게 비치네 |
| 촉구 | 방법1) 글자를 아는 아이라면 다음 소절을 스케치북에 써서 보여줍니다.<br>방법 2) 다음 소절을 이어서 불러주고 따라 부르게 합니다. | |
| 자료 | | |
| 아이템 | 반짝반짝 작은별? 아름답게 비치네, 오리는 꽥꽥? 오리는 꽥꽥, 염소 음매? 염소 음매, 안녕 안녕 선생님? 안녕 안녕 친구들, 우리 모두 다같이? 손뼉을 짝짝, 정글 숲을? 지나서 가자, 엉금 엉금? 기어서 가자 | |

| 6 | 동작 이어말하기(25가지) | |
|---|---|---|
| 설명 | 아이에게 "밥을?", "물을?"과 같이 물어봅니다. 3초 이내에 아이는 "먹어요", "마셔요"와 같이 해당하는 동작을 이어말합니다. 25가지 종류의 동작 이어말하기 연습을 합니다. 4)에서 이미 5가지 종류의 이어말하기 연습을 했으므로 20가지만 추가로 연습하면 됩니다. 다만 25가지 종류의 동작을 제시했을 때 모두 이어 말할 수 있어야 합니다. | 밥을?<br>먹어요 |
| 촉구 | 동작 사진을 보여주며 정답을 알려주고 따라 말하게 합니다. | |
| 자료 | | |
| 아이템 | 밥을? 먹어요, 물을? 마셔요, 침대에서? 코자, 가위로? 잘라요, 색연필로? 색칠해, 신발을? 신어요, 비누로? 손씻어요, 수건으로? 닦아요, 공을? 던져요, 바지를? 입어요, 칫솔로? 치카해, 블록을? 쌓아요, 모자를? 써요, 자동차를? 타요, 책을? 봐요, 머리를? 빗어요, 문을? 열어요, 의자에? 앉아요, 휴지로? 닦아요, 칼로? 잘라요, 그림을? 그려요, 비누방울을? 불어요, 쓰레기를? 버려요, 변기에? 쉬해요, 로션을? 발라요, 풍선을? 불어요 등 | |

| 7 | 이름/나이/유치원을 묻는 질문에 대답하기(3) | |
|---|---|---|
| 설명 | 아이에게 "너 이름이 뭐야?"와 같이 인적사항에 대해 물어봅니다. 3초 이내에 아이는 질문에 대답합니다. 이름, 나이, 유치원 등 3가지 인적사항에 대해 질문합니다. |   |
| 촉구 | 정답을 알려주고 따라 말하게 합니다. | |
| 자료 | | |
| 아이템 | 이름, 나이, 유치원 | |

| 8 | <사물과 기능> 무엇이 포함된 질문에 대답하기(40가지) | |
|---|---|---|
| 설명 | 아이에게 "색연필로 뭐해?" "색칠하는 건 뭐야?"와 같이 '무엇'이 포함된 질문을 합니다. 질문을 듣고 3초 이내에 아이는 "색칠해요" "색연필"과 같이 대답합니다. 20가지 사물에 대해 사물로 물어보거나 기능으로 물어봅니다. 총 40개 질문에 대답하는 연습을 합니다. | 색연필로 뭐해?<br>색칠해 |
| 촉구 | 사진을 보여주며 정답을 알려주고 따라 말하게 합니다. | |
| 자료 | | |
| 아이템 | 1) 색연필로 뭐해? 비누로 뭐해? 숟가락으로 뭐해? 칫솔로 뭐해? 수건으로 뭐해? 자동차로 뭐해? 빗으로 뭐해? 의자로 뭐해? 변기로 뭐해? 풍선으로 뭐해? 로션으로 뭐해? 모자로 뭐해? 공으로 뭐해? 침대에서 뭐해? 바지로 뭐해? 가위로 뭐해? 세탁기로 뭐해? 청소기로 뭐해? 핸드폰으로 뭐해? 발에 신는거 뭐야?<br>2) 색칠하는 건 뭐야? 밥먹는건 뭐야? 손씻는 건 뭐야? 치카하는건 뭐야? 닦는건 뭐야? 타는건 뭐야? 머리빗는건 뭐야? 앉는 건 뭐야? 쉬하는 건 뭐야? 부는 건 뭐야? 바르는 건 뭐야? 머리에 쓰는건 뭐야? 던지는건 뭐야? 코자는거 뭐야? 입는건 뭐야? 자르는건 뭐야? 빨래하는 건 뭐야? 청소하는거 뭐야? 전화하는거 뭐야? 신발로 뭐해? | |

| 9 | <일반상식> 무엇이 포함된 질문에 대답하기(20가지) |
|---|---|
| 설명 | 아이에게 “딸기는 무슨 색깔이야?”와 같이 ‘무엇’을 포함하여 일반상식과 관련된 질문을 합니다. 질문을 듣고 3초 이내에 아이는 “빨간색”과 같이 대답합니다. 20가지 일반상식에 대해 물어봅니다. |
| 촉구 | 사진을 보여주며 정답을 알려주고 따라 말하게 합니다. |
| 자료 | |
| 아이템 | 딸기는 무슨 색깔이야? 귤은 무슨 모양이야? 책은 무슨 모양이야? 빨간색인건 뭐가 있어? 노란색인건 뭐가 있어? 동그라미 모양인건 뭐가 있어? 네모 모양인건 뭐가 있어? 물놀이할 때 뭐가 필요해? 잘 때 뭐가 필요해? 밖에 나갈 때 뭐 신고가? 밥먹을 땐 뭐가 필요해? 콧물나면 뭐가 필요해? 치카할 때 뭐가 필요해? 물마실 때 뭐가 필요해? 동물원에 가면 뭐가 있어? 빨리 달리는 건 뭐가 있어? 우유는 무슨 색깔이야? 바다 속에는 뭐가 살아? 차가운 음식에는 뭐가 있어? 손이 시려우면 뭐가 필요해? |

| 10 | <개인경험> 무엇이 포함된 질문에 대답하기(20가지) |
|---|---|
| 설명 | 아이에게 “놀이터에서 뭐했어?”와 같이 ‘무엇’을 포함하여 개인경험과 관련된 질문을 합니다. 질문을 듣고 3초 이내에 아이는 “미끄럼틀 탔어.”과 같이 대답합니다. 20가지 개인경험에 대해 물어봅니다. |
| 촉구 | 사진을 보여주며 정답을 알려주고 따라 말하게 합니다. |
| 자료 | |
| 아이템 | 주말에 뭐했어? 쉬는시간에 뭐하고 놀았어? 놀이터가서 뭐탔어? 엄마랑 뭐 먹고왔어? 친구랑 무슨 게임했어? 할머니가 뭐 주셨어? 등 아이가 경험에 대한 질문 20가지 |

| 11 | <장소의 기능> 무엇이 포함된 질문에 대답하기(10가지) |
|---|---|
| 설명 | 아이에게 “수영장에서 뭐해?”와 같이 ‘무엇’을 포함하여 장소의 기능과 관련된 질문을 합니다. 질문을 듣고 3초 이내에 아이는 “수영해”와 같이 대답합니다. 10가지 장소의 기능에 대해 물어봅니다. |
| 촉구 | 사진을 보여주며 정답을 알려주고 따라 말하게 합니다. |
| 자료 | |
| 아이템 | 미용실에서 뭐해? 머리잘라, 수영장에서 뭐해? 수영해, 놀이터에서 뭐해? 시소 타, 화장실에서 뭐해? 쉬해, 주방에서 뭐해? 밥먹어, 방에서 뭐해? 코자, 신발장에서 뭐해? 신발신어, 유치원에서 뭐해? 공부해, 공원에서 뭐해? 산책해, 마트에서 뭐해? 과자 사 |

| 12 | <장소별 사물> 무엇이 포함된 질문에 대답하기(10가지) |
|---|---|
| 설명 | 아이에게 “수영장에는 뭐가 있어?”와 같이 ‘무엇’을 포함하여 장소별 사물과 관련된 질문을 합니다. 질문을 듣고 3초 이내에 아이는 “튜브”와 같이 대답합니다. 10가지 장소의 사물에 대해 물어봅니다. |
| 촉구 | 사진을 보여주며 정답을 알려주고 따라 말하게 합니다. |
| 자료 | |
| 아이템 | 미용실-가위, 놀이터-시소, 화장실-변기, 주방-컵, 신발장-신발, 옷장-바지, 수영장-튜브, 유치원-장난감, 안방-침대, 마트-과자 |

| 13 | <범주별 사물> 무엇이 포함된 질문에 대답하기(10가지) |
|---|---|
| 설명 | 아이에게 “동물에는 뭐가 있어?”와 같이 ‘무엇’을 포함하여 범주별 사물과 관련된 질문을 합니다. 질문을 듣고 3초 이내에 아이는 “강아지”와 같이 대답합니다. 10가지 범주의 사물에 대해 물어봅니다.<br>동물에는 뭐가 있어?<br>강아지 |
| 촉구 | 사진을 보여주며 정답을 알려주고 따라 말하게 합니다. |
| 자료 | |
| 아이템 | 동물, 과일, 옷, 탈것, 장난감, 색깔, 모양, 가구, 곤충, 야채 |

| 14 | <사물의 범주> 무엇이 포함된 질문에 대답하기(10가지) |
|---|---|
| 설명 | 아이에게 “강아지, 고양이, 소는 뭐라고 불러?”와 같이 ‘무엇’을 포함하여 사물의 범주와 관련된 질문을 합니다. 질문을 듣고 3초 이내에 아이는 “동물”과 같이 대답합니다. 10가지 범주에 대해 물어봅니다.<br>강아지, 고양이, 소는 뭐라고 불러?<br>동물 |
| 촉구 | 사진을 보여주며 정답을 알려주고 따라 말하게 합니다. |
| 자료 | |
| 아이템 | 강아지/고양이/코끼리? 동물, 딸기/바나나/귤? 과일, 바지/치마/잠바? 옷, 자동차/트럭/버스? 탈것, 뽀로로/타요/블록? 장난감, 빨강/노랑/파랑? 색깔, 동그라미/세모/네모? 모양, 의자/침대/책상? 가구, 매미/잠자리/무당벌레? 곤충, 배추/당근/오이? 야채, 배/머리/다리? 몸 |

| 15 | <직업의 기능> 무엇이 포함된 질문에 대답하기(10가지) |
|---|---|
| 설명 | 아이에게 “소방관은 뭐해?”와 같이 ‘무엇’을 포함하여 직업의 기능과 관련된 질문을 합니다. 질문을 듣고 3초 이내에 아이는 “불 꺼”와 같이 대답합니다. 10가지 직업의 기능에 대해 물어봅니다. 질문과 대답 모두 아이가 알고 있는 것으로 진행해야 합니다.<br>소방관은 뭐해?<br>불을 꺼요 |
| 촉구 | 사진을 보여주며 정답을 알려주고 따라 말하게 합니다. |
| 자료 | |
| 아이템 | 소방관? 불꺼요, 경찰관? 도둑 잡아요, 의사? 진찰해요, 간호사? 주사놔요, 선생님? 공부 알려줘요, 미용사? 머리잘라요, 환경미화원? 청소해요, 택시기사? 운전해요, 요리사? 요리해요, 점원? 계산해요 |

| 16 | 2가지 예시 중 선택해서 대답하기(20가지) |
| --- | --- |
| 설명 | 아이에게 "토끼는 동물이야, 과일이야?"와 같이 2가지 예시 중 선택할 수 있도록 질문을 합니다. 질문을 듣고 3초 이내에 아이는 "동물"와 같이 두 가지 예시 중 알맞은 답을 선택해 대답합니다. 20가지 질문에 대답하는 연습을 합니다. 아이가 충분히 내용을 숙지하고 있는 것에 대해서만 질문을 해주세요. |
| 촉구 | 방법1) 사진을 함께 보여주며 질문합니다.<br>방법2) 정답을 알려주고 따라 말하게 합니다. |
| 자료 | |
| 아이템 | STO 1) 기능(5): 신발은 발에 신는거야 손에 끼는거야?, 자는 머리에 쓰는거야 발에 신는거야?, 의자는 앉는거야 눕는거야?, 마스크는 얼굴에 쓰는거야 발에 신는거야? 컵은 치카하는거야 물마시는거야?<br>STO 2) 범주(5): 호랑이는 동물이야 과일이야?, 딸기는 과일이야 과자야?, 바지는 옷이야 장난감이야?, 비행기는 타는거야 동물이야? 블록은 장난감이야 타는거야?<br>STO 3) 색깔(5): 사과는 파란색이야 빨간색이야?, 바나나는 노란색이야 보라색이야?, 귤은 주황색이야 검정색이야? 포도는 빨간색이야 보라색이야? 까마귀는 흰색이야 검정색이야?<br>STO 4) 모양(5): 바퀴는 동그라미야 네모야? 공은 동그라미야 세모야? 책은 별모양이야 네모야? 고깔콘은 네모야 세모야? 뚜껑은 하트모양이야? 동그라미야? |

| 17 | 질문을 듣고 네 또는 아니오로 대답하기(20가지) | |
|---|---|---|
| 설명 | 아이에게 “네” 또는 “아니오”로 대답할 수 있는 질문을 합니다. 예를 들어 “바나나는 동물인가요?”와 같이 질문합니다. 질문을 듣고 3초 이내에 아이는 “아니오”와 같이 대답합니다. 20가지 질문에 대답하는 연습을 합니다. | 바나나는 동물인가요?<br>아니요 |
| 촉구 | 고개를 끄덕이거나 저으며 제스처와 정답을 알려주고 따라 말하게 합니다. | |
| 자료 | | |
| 아이템 | STO 1) 기능(5): 숟가락으로 색칠하나요? 컵으로 물마시나요? 의자에 눕나요? 가위로 자르나요? 칫솔로 밥먹나요?<br>STO 2) 범주(5): 바나나는 동물인가요?, 사자는 과일인가요?, 바지는 옷인가요?, 블록은 장난감인가요?, 비행기는 동물인가요?<br>STO 3) 색깔(5): 딸기는 빨간색인가요?, 바나나는 보라색인가요?, 귤은 주황색인가요? 포도는 보라색인가요? 참새는 검정색인가요?<br>STO 4) 모양(5): 공은 동그라미인가요?, 색종이는 네모인가요? 핸드폰은 세모인가요? 책은 하트모양인가요? 고깔콘은 별모양인가요? | |

| 18 | 사물의 이름을 듣고 2가지 특징 이야기하기 & 2가지 특징을 듣고 사물 이름 이야기하기(40가지) |
|---|---|
| 설명 | 1) 아이에게 "바나나는 어때? 2가지 말해줘."라고 질문합니다. 질문을 듣고 3초 이내에 아이는 "노란색이고 길어"와 같이 대답합니다. 2) "노란색이고 긴건 뭐야?"라고 질문합니다. 질문을 듣고 아이는"바나나"라고 대답합니다. 20가지 쌍으로 총 40개 질문에 대답하는 연습을 합니다.  |
| 촉구 | 방법1) 실제 사물이나 사진을 보며 이야기합니다.<br>방법2) 글자를 아는 아이라면 스케치북에 특징을 써서 보여줍니다.<br>방법3) 정답을 알려주며 따라말하게 합니다. |
| 자료 | |
| 아이템 | 바나나, 딸기, 귤, 포도, 당근, 오이, 강아지, 토끼, 오리, 돼지, 기차, 비행기, 버스, 자동차, 숟가락, 컵, 침대, 책, 핸드폰, 의자 |

바나나는 어때?
2개 말해줘

노란색이고
길어

| 19 | 사물의 이름을 듣고 3가지 특징 이야기하기(20가지) |
|---|---|
| 설명 | 아이에게 "밥은 어때? 3가지 말해줘."라고 질문합니다. 질문을 듣고 3초 이내에 아이는 "하얀색이고, 뜨겁고, 먹는거야"와 같이 3가지 특징을 말합니다. 18)에서 특징 말하기를 하지 않은 새로운 주변 사물로 진행합니다. 총 20개 질문에 대답하는 연습을 합니다.  |
| 촉구 | 방법1) 실제 사물이나 사진을 보며 이야기합니다.<br>방법2) 글자를 아는 아이라면 스케치북에 특징을 써서 보여줍니다.<br>방법3) 정답을 알려주며 따라말하게 합니다. |
| 자료 | |
| 아이템 | 밥, 빵, 쿠키, 가지, 사과, 수박, 시계, 책상, 공, 에어컨, 휴지, 자전거, 블록, 거북이, 호랑이, 바지, 양말, 변기, 칫솔, 컴퓨터 |

'밥'은 어때?
3개 말해줘

하얀색이고,
뜨겁고, 먹는거야

| 20 | <직업의 기능과 장소>‘누구’가 포함된 질문에 대답하기(20가지) |
|---|---|
| 설명 | 아이에게 “경찰서에서 일하는 사람은 누구야?”라고 질문합니다. 질문을 듣고 3초 이내에 아이는 “경찰관”과 같이 말합니다. 직업의 기능으로, 장소로 각각 10개씩 질문하며 총 20개 질문에 대답하는 연습을 합니다. |
| 촉구 | 방법1) 사진을 보며 이야기합니다.<br>방법2) 글자를 아는 아이라면 스케치북에 특징을 써서 보여줍니다.<br>방법3) 정답을 알려주며 따라말하게 합니다. |
| 자료 | |
| 아이템 | STO 1) 직업의 기능(10): 도둑을 잡는 사람은 누구야? 경찰관, 불을 끄는 사람은 누구야? 소방관, 진찰하는 사람은 누구야? 의사, 주사놔주는 사람은 누구야? 간호사, 공부 알려주는 사람은 누구야? 선생님, 머리 잘라주는 사람은 누구야? 미용사, 운전해주는 사람은 누구야? 택시기사, 요리해주는 사람은 누구야? 요리사, 마트에서 계산하는 사람은 누구야? 점원, 길을 청소해주는 사람은 누구야? 환경미화원<br>STO 2) 직업의 장소(10): 소방서에 일하는 사람은 누구야? 소방관, 경찰서서 일하는 사람은 누구야? 경찰관, 유치원에서 일하는 사람은 누구야? 선생님, 병원에서 일하는 사람은 누구야? 의사, 간호사, 택시에서 일하는 사람은 누구야? 택시기사, 미용실에서 일하는 사람은 누구야? 미용사, 마트에서 일하는 사람은 누구야? 점원, 경비실에서 일하는 사람은 누구야? 경비아저씨, 식당에서 일하는 사람은 누구야? 요리사 |

| 21 | <책이나 사진>'누구'가 포함된 질문에 대답하기(20가지) | |
|---|---|---|
| 설명 | 다양한 책이나 영상, 실제 장소에서 누구인지, 어디인지를 질문하고 대답하는 연습을 해봅니다. 20가지 이상의 질문에 대답할 수 있도록 다양한 자료를 적용하여 질문하고 대답하는 연습을 할 수 있습니다. 아동이 좋아하는 자극이 책이라면 책을 보면서 "누가 00하고 있어?", "00하는건 누구야?" 와 같은 질문을 할 수 있습니다. |  그네타는 건 누구야?<br>코끼리 |
| 촉구 | 질문에 알맞은 정답을 알려주고 따라 말하게 합니다. | |
| 자료 | 장소와 캐릭터(주인공, 사람)가 나타나는 책, 영상, 실제 상황 | |
| 아이템 | | |

| 22 | <장소의 기능>'어디'가 포함된 질문에 대답하기(10가지) | |
|---|---|---|
| 설명 | 아이에게 "머리는 어디서 잘라?"라고 질문합니다. 질문을 듣고 3초 이내에 아이는 "미용실"과 같이 말합니다. 장소의 기능으로 구성된 10개 질문에 대답하는 연습을 합니다. |  머리는 어디에서 잘라?<br>미용실 |
| 촉구 | 방법1) 사진을 보며 이야기합니다.<br>방법2) 글자를 아는 아이라면 스케치북에 특징을 써서 보여줍니다.<br>방법3) 정답을 알려주며 따라말하게 합니다. | |
| 자료 | | |
| 아이템 | 머리는 어디서 잘라? 미용실, 물놀이는 어디서 해? 수영장, 미끄럼틀은 어디에서 타? 놀이터, 아플 때 어디로 가? 병원, 공부 어디서 해? 유치원, 주사는 어디에서 맞아? 병원, 요리는 어디에서 해? 주방or식당, 자동차 기름은 어디에서 넣어? 주유소, 잠은 어디에서 자? 안방, 응가 어디에서 해? 화장실 | |

| 23 | <장소별 사물>'어디'가 포함된 질문에 대답하기(10가지) |
|---|---|
| 설명 | 아이에게 "시소, 미끄럼틀, 그네가 있는 곳은 어디야?"라고 질문합니다. 질문을 듣고 3초 이내에 아이는 "놀이터"과 같이 말합니다. 장소별 사물로 구성된 10개 질문에 대답하는 연습을 합니다. |
| 촉구 | 방법1) 사진을 보며 이야기합니다.<br>방법2) 글자를 아는 아이라면 스케치북에 특징을 써서 보여줍니다.<br>방법3) 정답을 알려주며 따라말하게 합니다. |
| 자료 | |
| 아이템 | 거실(쇼파,에어컨,텔레비전), 놀이터(시소,미끄럼틀,그네), 동물원(사자,코끼리), 마트(과자, 과일,우유), 바다(고래,문어), 방(침대,책상,옷장), 병원(주사기,청진기,침대), 유치원(블록,색연필,책), 주방(식탁,의자,숟가락), 화장실(변기,세면대,비누) |

| 24 | <책이나 사진> '어디'가 포함된 질문에 대답하기(10가지) |
|---|---|
| 설명 | 다양한 장소 사진에 캐릭터를 하나씩 붙여놓고 "OO 어디에 있어?"와 같이 질문합니다. 3초 이내에 아이는 적절한 인물이 어디에 있는지 대답합니다. 아이가 좋아하는 책을 보며 이야기해도 좋습니다. 장소와 관련된 10가지 질문에 대답하는 연습을 합니다. |
| 촉구 | 질문에 알맞은 정답을 알려주고 따라 말하게 합니다. |
| 자료 | |
| 아이템 | |

| 25 | '무엇' '누구' '어디' 정보가 모두 포함된 책, 사진, 실제 상황을 보고 질문에 대답하기(10가지) | |
|---|---|---|
| 설명 | 책이나 사진, 실제상황을 보고 "00 어디에 있어?" "00하는 건 누구야?" "00는 뭐하고 있어?" 와 같이 무엇, 누구, 어디를 포함해 다양하게 질문합니다. 3초 이내에 아이는 적절한 의문사에 알맞게 대답합니다. 10가지 장면을 보며 다양한 질문에 대답하는 연습을 합니다. |  토끼는 뭐해?<br>그네타는건 누구야?<br>호랑이가 어디에 갔어?<br>그네타<br>코끼리<br>놀이터 |
| 촉구 | 질문에 알맞은 정답을 알려주고 따라 말하게 합니다. | |
| 자료 | | |
| 아이템 | | |

| 26 | 부모님의 혼잣말에 알맞게 코멘트하기(20가지) | |
|---|---|---|
| 설명 | 부모님이 혼잣말로 "아 추워"와 같이 말하면 "옷 입어요"와 같이 상황에 적절한 코멘트를 합니다. 20가지의 상황에 코멘트하는 연습을 합니다. |  아, 추워<br>옷 입어요 |
| 촉구 | 정답을 알려주고 따라 말하게 합니다. | |
| 자료 | | |
| 아이템 | 추워-옷입어, 목말라-물마셔, 심심해-책봐요, 졸려-잠자요, 배고파-과자먹어요, 책봐야지-나도책볼거야, 더워-부채질해요, 놀러가야겠다-나도갈래요, 간지러워-긁어줄게요, 다쳤어-호 해줄게, 슬퍼-울지마요, 머리아파-약먹어요, 기분이좋아-나도좋아요, 신발이 어딨더라?-여깄어요, 엇 미안해-괜찮아, 우와 재밌겠다-같이봐, 손에 묻었다-휴지로닦아요, 그거 어딨지?-뭐찾아요?, 앗떨어졌다-주워줄게요, 더러워-손씻어요 | |

| 27 | 순서에 대한 질문에 대답하기(20가지) |
|---|---|
| 설명 | 부모님이 "세수한 다음에는 뭐하지?"와 같이 순서에 대해 물어봅니다. 질문을 듣고 3초 이내에 아이는 "수건으로 닦아요"와 같이 대답합니다. '다음'과 '전'을 포함해 총 20가지 질문에 대답합니다.<br>세수한 다음에 뭐해?<br>수건으로 닦아요  |
| 촉구 | 시각적으로 순서를 보여주며 정답을 알려주고 따라 말하게 합니다. |
| 자료 | |
| 아이템 | 1) 요일: 월요일 다음날은 뭐야? 수요일 전날은 뭐야? 등<br>2) 일과순서: 인사시간 다음은 뭐지? 공부시간 다음은 뭐지? 간식시간 전에 뭐하지? 등<br>3) 일과: 쉬하고나면 뭐해야해? 밥먹기 전엔 뭐라고 해야해? 밥먹고 나면 뭐라고 해야해? 어린이집에 가기 전에 뭐해야해? 놀이터에서 논 다음에 뭐해야해? 자기 전에 뭐해야해? 등 |

| 28 | 언제에 대한 질문에 대답하기(20가지) | |
|---|---|---|
| 설명 | 부모님이 "잠옷은 언제 입어?"와 같이 '언제'를 포함해 물어봅니다. 질문을 듣고 3초 이내에 아이는 "밤에", "잠자기 전에"와 같이 대답합니다. 아이의 일상과 관련해 '언제'를 포함하여 총 20가지 질문을 합니다. |  |
| 촉구 | 시각적으로 보여주며 정답을 알려주고 따라 말하게 합니다. | |
| 자료 | 계절/요일/밤/낮/아침/점심/저녁/-할 때/OO시에/OO시간에 | |
| 아이템 | 바다에 물놀이하러 언제가? 눈사람은 언제 만들어? 피아노학원 언제가? 할머니집에 언제가? 언제 일어나? 어린이집에 언제가? 언제 놀이터에 가? 언제 공부해? 언제 친구들 만나? 수영장에 언제가? 유튜브는 언제 볼 수 있지? 잠옷은 언제입어? 언제 치카해야돼? 목욕은 언제해? 언제 자? 케이크는 언제먹어? 생일 때, 아이스크림은 언제먹어? 더울 때 등 | |

| 29 | 원인과 결과에 대한 질문에 대답하기(20가지) |
|---|---|
| 설명 | 부모님이 사진 또는 영상을 보여주며 "친구가 왜 울어?"와 같이 '왜'를 포함해 물어봅니다. 질문을 듣고 3초 이내에 아이는 "왜냐하면 넘어져서요"와 같이 대답합니다. 또는 "친구가 넘어져서 어떻게 됐어?"와 같이 '어떻게'를 포함해 결과를 물어봅니다. 아이는 "울어요"와 같이 대답합니다. 원인에 대한 질문, 결과에 대한 질문을 합쳐 총 20가지 질문을 합니다. |
| 촉구 | 시각적으로 보여주며 정답을 알려주고 따라 말하게 합니다. |
| 자료 | 인과관계를 알 수 있는 사진, 영상, 사건 등 |
| 아이템 | 1) 친구가 왜 울어? 넘어져서요, 공원이 왜 깨끗해졌지? 친구가 쓰레기를 주워서요, 꽃이 왜 활짝 피었지? 물을 주어서요, 바닥이 왜 더러워졌지? 쓰레기를 바닥에 버려서요, 손이 왜 더러워졌지? 모래놀이해서요, 친구가 왜 기분이 좋아? 엄마가 과자를 주셔서요, 인형 팔이 왜 찢어졌지? 친구가 잡아당겨서요, 친구가 물을 왜 마셨지? 목말라서요, 친구가 왜 밥을 많이 먹었지? 배가 고파서요, 친구가 왜 머리를 잘랐어? 머리가 많이 길어서요<br>2) 친구가 넘어져서 어떻게 됐어? 울었어요, 친구가 쓰레기를 주워서 어떻게 됐어? 공원이 깨끗해졌어요, 꽃에 물을 줘서 어떻게 됐어? 활짝 피었어요, 쓰레기를 바닥에 버려서 어떻게 됐어? 바닥이 더려워졌어요, 모래놀이해서 손이 어떻게 됐어? 더러워졌어요, 엄마가 과자를 주셔서 친구 기분이 어떻게 됐어? 좋아졌어요, 친구가 인형 팔을 잡아당겨서 어떻게 됐어? 팔이 찢어졌어요, 친구가 목이 말라서 어떻게 했어? 물을 마셨어요, 친구가 배가 고파서 어떻게 했어? 밥을 많이 먹었어요, 친구가 머리가 많이 길어서 어떻게 했어? 머리를 잘랐어요 |

| 30 | 한 가지 주제에 대한 4가지 질문을 듣고 대답하기(10가지) | |
|---|---|---|
| 설명 | 한 가지 주제에 대한 4가지의 질문을 번갈아가며 합니다. 예를 들어 '케이크'라는 주제에 대해 "어디서 사?" "언제 먹어?" "위에 뭐가 있어?" "먹으면 어때?"와 같은 질문을 하면 아이는 "빵집", "생일 때", "딸기", "기분이 좋아요"와 같이 질문에 알맞게 대답합니다. 10가지 주제에 대해 대답하는 연습을 합니다. | 케이크는 언제먹어?<br>생일 때 먹어 |
| 촉구 | 방법1) 관련된 사진을 미리 준비해 함께 보여주며 질문합니다.<br>방법2) 정답을 알려주고 따라말하게 합니다. | |
| 자료 | | |
| 아이템 | 케이크(어디서사? 언제 먹어? 위에 뭐가 있어? 먹으면 어때?), 아이스크림(어디서 사? 언제 먹어? 어때? 무슨 맛이 있어?), 샴푸(어디에 있어? 비비면 뭐가 생겨? 언제 써? 쓰면 어떻게 돼?), 닭(어디에 살아? 다리가 몇개야? 뭐를 낳아? 알에서 뭐가 태어나?), 악어(악어 이빨은 어때? 다리는 어때? 꼬리는 어때? 어디에 살아?), 밥(언제 먹어? 먹을 때 뭐라고 말해? 어디서 먹어? 먹으면 어떻게 돼?), 바다(바다에 가면 뭐가 있어? 바다 속에는 누가 살아? 바다 위에선 뭘 탈 수 있어? 바다에선 뭘 하고 놀아?), 잠(어디서 자? 언제 자? 뭘 덮고 자? 뭘 베고 자?), 놀이터(놀이터 가면 뭐가 있어? 언제 가? 누구랑 놀아? 기분이 어때?), 양치(언제 해? 뭐로 해? 안하면 어떻게 돼? 양치하면 어때?) | |

| 31 | 책에서 3-5문장 정도의 짧은 이야기를 들은 뒤 2-3가지 질문에 대답하기(20가지) | |
|---|---|---|
| 설명 | 책에서 3-5문장 정도의 1~2개 장면을 골라 아이에게 읽어줍니다. 이야기를 읽어준 뒤 책을 덮고 책과 관련된 2-3가지 질문을 합니다. 질문을 듣고 아이는 정답을 말합니다. 총 20가지 질문에 대답하는 연습을 합니다. | 너구리가 뭐라고 말했어?<br>같이 놀자!<br>너구리가 뭘 타고싶어 했어?<br>시소 |
| 촉구 | 방법1) 책의 장면을 보여주며 질문합니다.<br>방법2) 정답을 알려주고 따라말하게 합니다. | |
| 자료 | 아동이 선호하는 책이나 영상 | |
| 아이템 | 책의 내용과 관련된 질문과 대답)<br>예) 너구리가 뭐라고 말했어? 같이 놀자, 너구리가 뭘 같이 타고 싶어 했어? 시소, 엄마가 칫솔을 몇 개 가지고 왔어? 2개, 무슨 색을 골랐어? 초록색, 무슨 맛 치약이었어? 딸기맛, 추피 가방이 어때? 무거워, 뭘 타러 갔어? 기차, 몇번 칸에 탔어? 12번 등 | |

| 32 | 과거나 미래의 사건에 대해 2-3문장으로 설명하기(10가지) |
|---|---|
| 설명 | 아이에게 있었던 과거 사건이나 아이에게 있을 미래의 사건에 대해 물어봅니다. 예를 들어, “할머니 댁에 갔을 때 뭐했어?” 또는 “토요일에 수영장 가서 뭐하고 놀거야?”와 같이 물어봅니다. 질문을 듣고 아이는 “할머니랑 빵집에 갔어요”, “수영장에 가서 튜브를 타고 수영할거야”와 같이 대답합니다. 10가지 질문에 대답하는 연습을 합니다.  |
| 촉구 | 방법1) 사진을 미리 준비해 함께 보여주며 질문합니다.<br>방법2) 정답을 알려주고 따라말하게 합니다. |
| 자료 | |
| 아이템 | 할머니 댁에 갔을 때 뭐했어?, 생일파티 때 뭐하고 놀았어?, 유치원에서 친구랑 뭐하며 놀았어?, 오늘 점심에 어떤 음식들 먹었어?, 동생이랑 놀이터에 가서 뭐하고 놀았어?, 토요일에 수영장 가면 뭐할거야?, 내일 캠핑 가서 뭐하고 놀거야?, 수업 다 끝나고 어디에 갈거야?, 내일 생일파티 때 뭐할거야?, 토요일에 동물원에 가서 뭐할거야? |

# 부록

<한 눈에 보는 LETS 프로그램>

| 토리ABA발달교실 LETS (Language Education & Training for Special Children) | | | | | | | | | | | 아동 이름 / 작성 날짜 | |
|---|---|---|---|---|---|---|---|---|---|---|---|---|
| | | 1 학습준비 | | 2 매칭 | | 3 동작모방 | | 4 언어모방 | | 5 변별 | | |
| LEVEL1 | 1 | 성인의 지시+제스쳐에 순응하기(앉아) | 1 | 3초 동안 움직이는 시각적 자극을 추적 | 1 | 사물을 가지고 동작 모방(10/1array) | 1 | 양볼 문지르기, 인디언 아 동작 모방 | 1 | 가리키는 곳을 쳐다보며 포인팅 | | |
| | 2 | 성인의 지시+제스쳐에 순응하기(일어나) | 2 | 10초 동안 장난감을 조작 | 2 | 포인팅하는 동작 모방 | 2 | 눈, 코, 입, 귀 포인팅 동작 모방 | 2 | 가리키는 것을 건네줌 | | |
| | 3 | 성인의 지시+제스쳐에 순응하기(저기로 가자) | 3 | 집게 손가락으로 작은 사물을 잡기 | 3 | 손 무릎이나 예쁜손 동작 모방 | 3 | 볼, 코, 귀, 입술 검지로 잡기 동작 모방 | 3 | 아주 좋아하는 친밀한 것들에 대한 이름을 변별(4/3array) | | |
| | 4 | 성인의 지시+제스쳐에 순응하기(이리와, 와서 앉아) | 4 | 30초 동안 장난감을 조작하거나 책 보기 | 4 | 사물을 가지고 동작 모방(10/3array) | 4 | 윗입술, 아랫입술, 치아, 혀 포인팅 동작 모방 | 4 | 아이템 이름을 변별(6/3array) | | |
| | 5 | 착석 유지하기 (10min) | 5 | 상자에 사물 담기 (3개 이상) | 5 | 대근육 동작 모방(5) | 5 | 턱움직임 모방 (이딱딱, 입 크게 아, 이) | 5 | 아이템 이름을 변별(8/3array) | | |
| | 6 | 성인의 지시+제스쳐에 눈맞춤하기 | 6 | 나무 블록 쌓기 (3개 이상) | 6 | 소근육 동작 모방(3) | 6 | 혀움직임 모방(메롱, 좌우로, 위아래로, 왼쪽. 오른쪽, 위로, 아래로, 이 사이로, 볼 밀기) | 6 | 아이템 이름을 변별(10/3array) | | |
| | 7 | 성인의 지시+제시쳐에 사물 쳐다보기 | 7 | 링 끼우기 (3개 이상) | 7 | 대근육 동작 모방(10) | 7 | 입술움직임 모방 (입술 안으로, 입술 내밀기, 입술 쩝쩝 소리내기, 입술 뽀뽀 소리내기) | 7 | 아이템 이름을 변별(20/3array) | | |
| | 8 | 성인이 손바닥을 내밀며 "이거 줘" 했을 때 앞에 있는 사물 건네주기 | 8 | 꼭지퍼즐 맞추기 (1개) | 8 | 대근육 동작 모방(20) | 8 | 불어 날리기 동작 모방(5) | 8 | 동물소리(5), 환경음(5) 변별(10/5array) | | |
| | 9 | 성인이 바구니나 접시를 가리키며 "여기 놔"했을 때 앞에 있는 사물 올려놓기 | 9 | 종이퍼즐 맞추기 (2조각 퍼즐 1쌍) | 9 | 거울 보며 대근육 동작 모방(20) | 9 | 불어 소리내기 동작 모방(5) | 9 | 아이템 이름을 변별(50/10array) | | |
| | 10 | 성인이 위치를 가리키며 "여기 놔"했을 때 지정하는 위치에 사물 놓기 | 10 | 똑같은 사물끼리 매칭(20/3array) | 10 | 얼굴 표정 모방 (4) | 10 | 음성 모방 1음절 (아, 에, 이, 오, 우) | 10 | 기능과 관련된 동작 사진 변별(10/5array) | | |
| LEVEL2 | 11 | | 11 | 똑같은 사물끼리 매칭(20/5array) | 11 | 사진 또는 그림 보고 동작 모방 (20) | 11 | 음성 모방 1음절 길이 변형 (아 길게, 아 짧게) | 11 | 색깔과 모양 변별(10/5array) | | |
| | 12 | | 12 | 똑같은 사진끼리 매칭(20/5array) | 12 | 영상을 보고 동작 모방(20) | 12 | 자음+모음 모방 (15) | 12 | 아이템의 기능을 듣고 사물사진 변별(10/10array) | | |
| | 13 | | 13 | 똑같은 색깔/모양의 사물끼리 매칭(10/5array) | 13 | 소근육 동작 모방(20) | 13 | 친숙한 1-2음절 1단어 모방(20개) | 13 | 아이템의 특징을 듣고 사물 사진 변별(10/10array) | | |
| | 14 | | 14 | 똑같은 사물끼리 매칭(20/7array) | 14 | 사물 1개로 연속된 2단계 동작 모방(10/1array) | 14 | 친숙한 3-4음절 1단어 모방(20개) | 14 | 아이템의 범주를 듣고 사물 사진 변별(10/10array) | | |
| | 15 | | 15 | 똑같은 사진끼리 매칭(20/7array) | 15 | 관련없는 사물 2개 터치 동작 모방(10/5array) | 15 | 동작 단어 모방(10개) | 15 | 있다, 없다 변별(2array) | | |
| | 16 | | 16 | 일반화된 사물끼리 매칭(20/10array) | 16 | 사물을 가지고 2단계 동작 모방(10/1array) | 16 | 2단어 모방(20개) | 16 | 무슨, 어떤, 누구가 포함된 질문에 변별(25/10array) | | |
| | 17 | | 17 | 일반화된 사진끼리 매칭(20/10array) | 17 | 사물 없이 2단계 동작 모방 (10) | 17 | 3단어 모방 (20개) | 17 | 2가지를 듣고 변별 (5set/10array) | | |
| | 18 | | 18 | 일반화된 사진과 사물끼리 매칭(20/10array) | 18 | 사물을 가지고 3단계 동작 모방(10/1array) | 18 | | 18 | 동작 이름을 듣고 동작 사진 변별(50/5array) | | |
| | 19 | | 19 | 일반화된 색깔과 모양끼리 매칭(10/5array) | 19 | 사물 없이 3단계 동작 모방(10) | 19 | | 19 | 아이템 이름 변별(직업, 장소 포함) (200) | | |
| | 20 | | 20 | 첫 시도에 일반화된 사진끼리 매칭(90%/10array) | 20 | 연습하지 않은 새로운 동작 모방(10) | 20 | | 20 | 신체의 기능을 듣고 변별(6/6array) | | |
| LEVEL3 | 21 | | 21 | 제시된 사물과 같은 사물(사진)을 책에서 찾아 가리키기 | 21 | | 21 | | 21 | 성별로 사람을 변별(여자/남자) | | |
| | 22 | | 22 | 아이템을 범주(과일, 동물, 탈것, 옷, 장난감)별로 분류(25/5array) | 22 | | 22 | | 22 | 위치 변별 (8) (위, 아래, 안, 밖, 앞, 뒤, 옆, 사이) | | |
| | 23 | | 23 | 연관된 사물끼리 매칭(10/5array) | 23 | | 23 | | 23 | 같다, 다르다 변별 | | |
| | 24 | | 24 | 사물을 크기 순으로 배치하기(5/3array) | 24 | | 24 | | 24 | 감정 변별(4) (기쁨, 슬픔, 놀람, 화남) | | |
| | 25 | | 25 | 형용사 매칭(길다-짧다, 크다-작다, 더럽다-깨끗하다, 많다-적다) (8/2array) | 25 | | 25 | | 25 | 책에서 기능, 특징, 범주 중 2가지를 포함한 질문을 듣고 변별(25) | | |
| | 26 | | 26 | 6조각 이상의 사람 피규어 퍼즐 맞추기 | 26 | | 26 | | 26 | 4쌍의 형용사(크다-작다, 많다-적다, 깨끗하다-더럽다, 길다-짧다)를 변별(16) | | |
| | 27 | | 27 | 한 페이지에서 3가지 색깔을 보고 모방하여 색칠(1가지 색) | 27 | | 27 | | 27 | 부정의 표현이 포함된 질문을 듣고 아이템을 변별(예: 00이 아닌 것은 뭐지?)(10) | | |
| | 28 | | 28 | 블록 디자인을 보고 모방(imitation/8개) | 28 | | 28 | | 28 | 장소별 기능/사람/물건으로 변별(10X3=30) | | |
| | 29 | | 29 | 블록 디자인 사진을 보고 모방(emulation/8개) | 29 | | 29 | | 29 | 원인-결과 변별(10X2=20) | | |
| | 30 | | 30 | 3단계 패턴을 보고 순서대로 놓기(20) | 30 | | 30 | | 30 | 책이나 자연스러운 환경에서 한 가지 주제에 대해 기능, 특징, 범주 관련 질문 4가지를 번갈아가며 듣고 변별(25) | | |

토리ABA발달교실 LETS (Language Education & Training for Special Children)

아동 이름 | 
작성 날짜 | 

| | | 6 지시따르기 | | 7 요구하기 | | 8 명명하기 | | 9 인트라버벌 | | 10 사회성 |
|---|---|---|---|---|---|---|---|---|---|---|
| LEVEL1 | 1 | 소리가 나는 쪽으로 돌아봄 | 1 | 강화제에 손을 뻗음 | 1 | 타인의 관심을 얻기 위해 제스처를 보여줌(포인팅, 손뻗기 등) | 1 | 활동 중 이어말하기(2) (예: 준비? 시작, 하나, 둘? 셋) | 1 | 익숙한 사람과 눈맞춤 (3번/60분) |
| | 2 | 적절한 맥락에서 안돼, 뜨거워, 잠깐과 같은 지시에 반응함 | 2 | 눈맞춤으로 요구 | 2 | 타인의 관심을 얻기 위해 제스처와 음성을 동시에 사용함 | 2 | 동물소리, 환경음 이어말하기 인트라버벌(10) (예: 강아지는? 멍멍) | 2 | 맨드로 눈맞춤 (5번/30분) |
| | 3 | 선생님의 신호에 반응함 | 3 | 성인을 잡아당김 | 3 | 에코익으로 택트(2) | 3 | 동물소리, 환경음을 듣고 무엇인지 대답(10) (예: 멍멍? 강아지) | 3 | 소리내기나 손짓을 사용하여 보호자의 관심 끌기(3번/60분) |
| | 4 | 호명에 눈맞춤함 | 4 | 포인팅이나 주세요 손을 함 | 4 | 에코익으로 택트(4) | 4 | 동작 이어말하기(10) | 4 | 성인에게 신체적 상호작용을 먼저 시도(2번/60분) |
| | 5 | 동작 이름을 듣고 지시를 따름(2) | 5 | 어떤 음성이든 음성으로 맨드 | 5 | 친숙한 사물 택트(2) | 5 | 2단어 이상으로 노래이어부르기(5) | 5 | 다른 사람에게 눈맞춤하며 인사함 |
| | 6 | 동작 이름을 듣고 지시를 따름(4) | 6 | 고개를 끄덕이거나 저음(동의,거절) | 6 | 친숙한 사물 택트(4) | 6 | 동작 이어말하기 인트라버벌(25) | 6 | 또래와 눈맞춤 (5번/30분) |
| | 7 | 동작 이름을 듣고 지시를 따름(6) | 7 | 원하는 것이 있을 때 성인의 신체를 두드림 | 7 | 자발적 택트(6) | 7 | 이름/나이/유치원을 묻는 질문에 대답(3) | 7 | 그룹 활동 시간에 촉구를 받아 또래 주변에 앉기 |
| | 8 | 동작 이름을 듣고 지시를 따름(10) | 8 | 자발적인 음성 맨드 (4) | 8 | 자발적 택트(8) | 8 | 무엇이 포함된 질문에 대답(예: 00으로 뭐해?, 00하는건 뭐야?)(양방향/각각20/총40) | 8 | 쉬는 시간에 3가지 놀잇감에서 또래와의 평행놀이가 관찰됨 |
| | 9 | 동작 이름을 듣고 지시를 따르거나 신체 부위를 터치함(20) | 9 | 자발적인 음성 맨드(6) | 9 | 자연스러운 상황에서 습득한 택트에 대해 '이거 뭐야?'에 대답함 | 9 | 무엇이 포함된 질문에 대답(일반상식)(20) | 9 | 구조화된 시간에 또래의 동작을 모방 |
| | 10 | 놀이영역에서 변별하는 물건을 가져옴(10) | 10 | 자발적인 음성 맨드(10) | 10 | 자발적 택트(10) | 10 | 무엇이 포함된 질문에 대답(개인경험)(20) | 10 | 자유놀이 상황에서 또래의 동작을 모방(3회 이상) |
| LEVEL2 | 11 | 놀이영역에서 동물소리, 환경음에 대해 듣고 물건을 가져옴(10) | 11 | 타인에게 행동 맨드(5) | 11 | 동작 택트(10) | 11 | 무엇이 포함된 질문에 대답(장소의 기능)(10) | 11 | 촉구를 받아 또래와의 신체 활동 놀이에 참여 |
| | 12 | 사물없이 동작을 시연함 (10) | 12 | 자발적인 음성 맨드(20) | 12 | 자발적 택트(20) | 12 | 무엇이 포함된 질문에 대답(장소별 사물)(10) | 12 | 구조화된 시간에 또래에게 신체적 상호작용을 먼저 시도 |
| | 13 | 2단어 지시를 따름(30) | 13 | 도움, 거절, 반복의 맨드 (도와줘, 싫어, 또 해) | 13 | 자발적 택트(30) | 13 | 무엇이 포함된 질문에 대답(범주/장소를 듣고 아이템말하기)(10) | 13 | 구조화된 시간에 또래에게 선호물을 제공함 |
| | 14 | 놀이영역에서 기능에 대해 듣고 물건을 가져옴(10) | 14 | 사물의 짝 맨드 (물감-붓, 스케치북-색연필 등) (5X2=10) | 14 | 자발적 택트(40) | 14 | 무엇이 포함된 질문에 대답(아이템 듣고 범주/장소 말하기)(10) | 14 | 또래의 맨드에 촉구를 받아 언어적 반응 |
| | 15 | 놀이영역에서 특징에 대해 듣고 물건을 가져옴(10) | 15 | 2단어로 맨드 | 15 | 자발적 택트(50) | 15 | 무엇이 포함된 질문에 대답(직업의 기능)(10) | 15 | 또래에게 맨드(5) |
| | 16 | 놀이영역에서 범주에 대해 듣고 물건을 가져옴(5) | 16 | 네/아니 맨드 | 16 | 색깔, 모양 택트 (10) | 16 | 2가지 예시 중 선택하여 대답(20) | 16 | 3분 동안 또래와 함께하는 신체적 사회적 놀이에 참여 |
| | 17 | 지시를 듣고 3명의 사람에게 감 (3) | 17 | 허락 구하기 맨드 (00해도 돼요?) | 17 | 동작 택트(20) | 17 | 네, 아니오로 질문에 대답(20) | 17 | 또래에게 택트(20) |
| | 18 | 여러 가지 사물과 동사를 섞어 2단어 지시에 따름(15) | 18 | "몰라요" 표현 | 18 | 장소 택트(10) | 18 | 아이템에 대해 2가지 특징 말하기/2가지 특징을 듣고 아이템 말하기(20X2=40) | 18 | 또래의 맨드에 신체적으로 반응(5) |
| | 19 | 지시를 듣고 3개의 장소에 감 | 19 | 무엇이 포함된 질문 맨드(3) | 19 | 2단어 택트(30) | 19 | 실제 생활 아이템에 대해 3가지 특징 말하기(20) | 19 | 또래에게 지시로 맨드 |
| | 20 | 사물을 제자리에 갖다놓음(10) | 20 | 누구가 포함된 질문 맨드(3) | 20 | 자발적 택트(200): 아이템, 동작, 색깔, 모양, 날씨, 직업 등 포함 | 20 | 누구가 포함된 질문에 대답(직업의 기능/장소)(10X2=20) | 20 | 또래에게 놀이에 참여하도록 맨드 |
| LEVEL3 | 21 | 사물을 특정한 장소에 갖다놓음(5가지 장소) | 21 | 어디가 포함된 질문 맨드(3) | 21 | 범주 택트(7) | 21 | 누구가 포함된 질문에 대답(책이나 사진)(20) | 21 | 또래에게 중단이나 거절 맨드 (2번/60분) |
| | 22 | 특정 사람에게 특정 사물 갖다줌 (10) | 22 | 정중한 거절과 중단 맨드 | 22 | 위치 택트(8) (위, 아래, 안, 밖, 앞, 뒤, 옆, 사이) | 22 | 어디가 포함된 질문에 대답(장소의 기능)(10) | 22 | 또래와 자발적으로 협력(5) |
| | 23 | 특정 사람에게 특정 행동을 함 (10) | 23 | 언어로 A, B 중 선택 | 23 | 감각 택트(10) | 23 | 어디가 포함된 질문에 대답(장소별 사물)(10) | 23 | 사회적 가상놀이에서 또래의 행동 모방(3) |
| | 24 | 특정 장소에 가서 특정한 아이템을 가져옴(5가지 장소) | 24 | 형용사, 전치사, 부사를 포함하는 맨드(10) | 24 | 같다/다르다 택트 | 24 | 어디가 포함된 질문에 대답(책이나 사진)(20) | 24 | 또래에게 누구, 어디, 무엇을 포함하는 질문 맨드(5) |
| | 25 | 2단계 동작 지시를 따름(10) | 25 | 언제가 포함된 질문 맨드(3) | 25 | 표정 보고 감정 택트(4) | 25 | 무엇, 누구, 어디에 대한 정보가 모두 포함된 책이나 사진, 실제 상황에서 3가지 이상 질문에 대답(10가지 장면) | 25 | 또래에게 '고마워'를 표현 |
| | 26 | 위치가 포함된 지시를 따름(8) | 26 | 어떻게가 포함된 질문 맨드(3) | 26 | 신체 부위의 기능 택트(6) | 26 | 인트라버벌 코멘트(20) | 26 | 또래의 질문이나 지시에 언어적으로 반응(5) |
| | 27 | 감정을 듣고 표정을 보여줌(4) | 27 | 왜가 포함된 질문 맨드(3) | 27 | 형용사(4쌍)와 부사(4쌍) 택트(16) | 27 | 순서에 대한 질문에 대답(다음에/전에) (20) | 27 | 순서가 있는 강화제나 강화제 활동을 공유함 |
| | 28 | 4쌍의 부사(빨리-천천히, 높게-낮게, 크게-작게, 멀리-가까이)를 포함하여 지시를 따름(8) | 28 | 어떻게가 포함된 질문에 대해 방법에 대한 지시나 교수(5) | 28 | 잘못된, 이상한, 빠진 부분 택트(20) | 28 | 언제에 대한 질문에 대답(20) (밤/낮/아침/점심/저녁/-할때/00시/00시간) | 28 | 구조화된 시간에 5분 동안 사회적 가상놀이에 참여(5) |
| | 29 | 교실에서 3가지 사물을 듣고 모두 가져옴 (10) | 29 | 차례나 기회에 대한 맨드 | 29 | 한 장면을 보고 2-3문장으로 택트 (20) | 29 | 원인과 결과에 대한 질문에 대답(왜/어떻게) (10X2=20) | 29 | 또래와 3차례 주고받는 인트라버벌에 참여 |
| | 30 | 사물을 가지고 익숙한 3단계 동작 지시를 따름(10) | 30 | 타인에게 대화 참여, 주의끌기 맨드(5) | 30 | 4단어 이상의 문장으로 택트(20) | 30 | 책이나 자연스러운 환경에서 한 가지 주제에 대해 관련 질문 4가지를 번갈아가며 듣고 대답하기(20) | 30 | 자연스러운 상황에서 또래와 5가지 주제에 관해 4차례 주고받는 인트라버벌에 참여(5) |
| | 31 | | 31 | | 31 | | 31 | 이야기, 사건, 영상에 관해 듣고 설명하기(2-3문장) (20) | 31 | |
| | 32 | | 32 | | 32 | | 32 | 자신의 과거, 미래의 사건을 설명하기(2-3문장) (10) | 32 | |